財布のつぶやき

群 ようこ

角川文庫 16694

財布のつぶやき　目次

財布のつぶやき

老後の計画

若い頃には全く考えなかった老後の経済について、五十歳をすぎてようやく考えるようになった。すでに遅しの感もあるが、考えねばならぬ優先順位のうちで、これまで老後は下のほうにランキングされていたので、仕方がないのである。

「老後はどうなっちゃうのかしらねえ」

などとため息まじりにつぶやくと、私よりも年下の人たちは、

「群さんは大丈夫に決まってるじゃないですか」

という。大丈夫に決まってないから、ため息が出るのであるが、

「どうしてそう思うの」

と聞いても、

「大丈夫に決まってるじゃないですか」

を繰り返す。話を聞くと、どうやら私がしこたま金を貯め込んでいると、思っているらしいのである。まあ、

「この人、大丈夫かしら」

と思っても、面と向かっては、

「あなた、本当に不安ですよね」

とはいえないが。

彼らの本心がどうであれ、現在、純粋に私の預金と呼べるものは、ない。通帳には残高はあるが、これは六十歳近くまである、年間四百万も支払っている実家のローンである借金と税金のためであって、これから返済しなくてはならない借金を差し引くと、何千万もマイナスなのだ。

「家は資産だからいいじゃないですか」

という人もいるが、私は資産などという考え方にはどうもなじめない。だいたい土地や家屋を資産にする根性が気に入らん。広大な国土ならいざ知らず、こんなせせこましい場所で地べたが欲しいだの何だのと騒ぐから、揉《も》め事が起きるのである。私の場合、譲るような子供もいないし、資産の代表である土地家屋は所有しないようにと考えていたが、分不相応に広い家を求めた母と弟のおかげで、私の人生設計は見事に狂わされた。彼らより早く死んだら、毎日化けて出て祟《たた》ってやろうと思っている。

私の老後は、ローンという借金を返済した時点で考えなくてはならないのだが、いったいいくら必要かと計算してみた。

「六十歳から八十五歳まで生きたとして、二十五年間、ひと月の生活費が二十万円として……」

電卓に表示された金額を見て驚いた。何と六千万円も必要なのであった。

まだ私が三十代のとき、私の恩人ともいうべき、二回りほど年上の編集者の方から、

「老後はね、家があっても一人、五千万くらいいるんだから、よく覚えておきなさいよ」

といわれた。まだ若かった私は、

「はー、そうですかー」

といいつつも、まじめに聞いていなかった。私のなかでは、そんな問題は考えねばならぬ優先順位の百二十八番目くらいだったからである。それが年を追うごとにじわじわと順位を上げ、ふと気がついたらベストテン圏内に入ってきていたのであった。

とはいえ、どこをどうすればそんなお金が出てくるのか見当もつかない。どの本に書いてあったのか忘れてしまったが、宝くじに当たる確率よりも、交通事故に遭う確率のほうが何百倍も高いらしい。

「きゃー、当たったあーっ」

というのが宝くじではなく自動車、が現実なのだ。信じられないくらいくじ運の悪い私は、ますます宝くじには期待できなくなった。なるべく早く隠居したいからといって、老後の資金のために、あくせく働く気にもなれないし、どちらにせよ、ちょっとまじめに考

える必要が出てきた。

私は老後は女友だち二人を含めた三人で、互助会と称して長屋に住もうといっているが、住む地域が一致しなかった。私一人が東京に固執していたからだ。東京以外に住んだことがないし、東京に住んでいれば、老後も刺激を受けて暮らせるのではないかと考えていた。しかし最近は考えが変わってきた。

「もう東京には住みたくない」

と思うようになった。六本木ヒルズや表参道ヒルズに嬉々《きき》として出入りしている人々を見ると、非常になじめないものを感じる。たしかに私もかつては、ブランド品や宝飾品も買った。着物に関しては金に糸目はつけない消費の日々だった。OLではとうてい経験できない買い物もしたけれど、でももういい。ただのんびり暮らしたくなったのだ。

聞いた話によるとこれから都内に、何十棟と高層ビルやマンションが建つという。消費の都、且つ、地震の多い土地柄に、東京湾からの自然の風の流れを変えてしまう高層ビルを建てて平気な神経が理解できない。かといって反対運動に参加する気もない。ひっそりしたところで、ひっそりと生活していたいなあと思うようになった。六本木ヒルズも表参道ヒルズも高層ビルも、うちの近所に建ったわけではないが、建物を見ているだけで気分が萎《な》えてくる。刺激を受けるといっても、まめに映画や芝居を観ているわけじゃなし、東京に住んでいると私にとってはマイナスの刺激ばかりを受けるような気になった。

友だちは私が東京じゃないと嫌だといっていたので、家探しを保留にしていたけれど、

「歳を取っても東京に住みたいっていってたけど、もういいや」

と宣言すると、

「そう、そういう気持ちになったの。やっぱりそうだよね」

と喜んで、家探しをはじめた。老後の住居は彼女にまかせた。彼女の頭のなかには、具体的なイメージがいくつかあって、それにふさわしい地域に目星をつけているようだが、自給自足だけはありえない。三人とも土いじりが大嫌いなのだ。私は彼女が決定した事柄に従い、そこに住む。どこに住むにせよ、東京にいるよりはあらゆる面で、気楽になるだろう。

そこで出るのが再び電卓である。老後の問題を考えるのが電卓片手というのが悲しい。都落ちをすれば全体的に経費は節減できるはずだ。私一人とネコ一匹が住むのだから、広い家じゃなくていい。それでなくても掃除が嫌いなのだから、ちょちょっとやって済む程度の広さで十分だ。そのためには荷物を減らさなくてはならず、まだ体力がある今のうちに、せっせと物を減らしている。若い頃に買った着物は、小学生の女の子二人のお母さんで、寸法が私とぴったり合い、おまけにお嬢さんたちも着物が大好きという女性にもらっていただいている。本は図書館の交換本コーナー、雑貨はバザー、大物は業者に頼んで処分しても、物は減らない。捨てるのにも体力とお金がかかるので大変なのだ。自分へのご

ほうびとか、ストレス発散とか理由をつけて、必要のないものまで買っていたのではないか。世の中の経済流通には貢献し、それによって瞬間的にはうれしい思いをしたのは嘘ではないが、所有していることによって、喜びが持続しているものは数少ない。自分はどこか間違っていたんだなと反省している。

老後を共に暮らす互助会の友だちも、大量に靴を処分した。玄関にお洒落《しゃれ》な靴がずらーっと並んでいるのを見て、

「ここの家には何匹ムカデがいるんだ」

などとからかっていたのだが、彼女も所有することに疲れている。もう一人の友だちは大量に洋服を処分したが、

「捨てても捨てても、あちらこちらから湧き出てくる」

とぐったりしていた。ビデオやDVDも大量にあるので、体力がある間に何とかしなければ、引っ越しさえもままならないとあせっている。それと同時に私は、どこに住んでもいいように、食べられる草の種類でも勉強するかと、考えているところである。

親のすね

サラリーマンの賃金格差が激しくなってきていて、四苦八苦している家庭が多いらしい。私がたまたまテレビで観たのは、小学生の子供二人がいる、ごく普通の家庭であったが、奥さんが、

「どう考えても、いくら計算してもお金が足りない」

といっている。夫婦が頭を突き合わせて、家計簿と電卓とにらめっこをしたあげく、ため息をついて天を仰ぐのだ。

私みたいな仕事は、今年はよかったとしても、来年はどうなるかわからない不安定な仕事だが、サラリーマンの場合は、よほどのアクシデントがなければ、生涯賃金があっという間に計算できる。人生設計が立てやすいといえば立てやすいのだが、それでお金が足りないとなると、いったいどうしたらいいのかと途方にくれるだろう。

その家の出費を見ると、家のローンはあるけれども、贅沢《ぜいたく》をしているわけではない。会社の業績が不振で、ボーナスがほとんど見込めなくなったのと、給料も上がる気配が全く

ない。いちばんの問題になっているのが、子供の教育費だ。子供は塾に通っていて、とても成績がよく、本人も偏差値の高い学校に進学するのを希望しているのであるが、教育費に収入が全く追いつかないのだ。

「塾に通わせるのだって精一杯なのに、中学校から私立に通わせて大学まで、本当にどうやって暮らしていいのかわからない」

と夫婦は頭を抱えている。子供にはいえないので、彼らは子供たちが寝た後に、こそこそと話し合い、何度計算しても足りない現実を知ってため息をつく。進学したのがすべて国公立で済めばいいが、勉強ができる子だったら、専門的な知識を得たいだろうから、行きたい学校がすべて学費の安いところとは限らない。子供がすすんで勉強しているのに、教育費が不足しているからといって、進学をやめろともいえない。

「そりゃあ、辛《つら》いわなあ」

と心から同情した。

明治、大正、戦前には、とても勉強ができるのに、家の経済状態が悪く、泣く泣く進学を諦《あきら》めて、家や弟妹のために働きに出るという学生の話はよくあった。それでも運のいい学生は、すべて出世払いで面倒を見てくれる資産家がいたり、同郷の著名人の家に寄宿して、勉学に励んだりもした。血縁でもないのに、そういった若者の面倒を見てくれる、太っ腹な人が当時はたくさんいたのであろう。しかしこの世知辛い世の中では、このような夫婦は、ただため息をついて増えるあてのない通帳を眺めるしかないのだ。

私自身は高校までは公立で、親に学費を出してもらったが、卒業した私立大学の学費は自分で払った。私が受験した三校のなかでいちばん学費が安く、地方から出てきていたら家賃等、難しかったかもしれないが、実家から通っていた私は、アルバイトの収入で学費を払い、本、レコードを買い、結構、楽しんでいた。しかし私立大学の学費は上がる一方で、今年入学した学生に百万単位の金額を聞いて驚いた。これではよっぽどあぶないか、辛いアルバイトをしないと、大学に通えるわけがない。親も大変だと、親と年齢がほとんど変わらない私は、こちらのほうにも心から同情したのである。

その一方で、何だかわからないけど、何の心配もなさそうな、お気楽な家族もいる。人気のある場所に建つマンションを購入し、外車に乗り、海外旅行に行き、週に何回かは外食をしている。しかし見ていると何となくバランスが悪い。一見、派手に生活しているようで、妙に安物の部分があったり、子供のしつけが悪かったり、どうも根っこがないというか、そういう生活が身に付いていないように見えるのである。

その話を知り合いにしたら、

「今の夫婦は親世代がいないと、生活が崩壊するのよ。ほとんどの人が親がかりなんじゃないかしら」

という。私は親に経済力がなく、自分で何でもやるしかなかったので、子供のころから物をねだった覚えがない。だから親のすねをかじる感覚が理解できないのだ。だいたい結婚してからも親のすねをかじるなんて、どうかしてるんじゃないかと思うのであるが、それは今は当たり前らしい。考えてみると、私の知っている範囲でも、マンションを買ったり、家を建てたりした人は、親に援助をしてもらっている人が多い。それによって親との関係が、断りたくても断れないとか、いつまでも頭が上がらないといった問題も出てくると思うので、金銭的には楽になっても心情的に自由がきかなくなる場合もあるだろう。特に私と同年輩だと、親も高齢になってきているし、経済面を援助してもらうかわりに、子供が体力で援助しなければならない場合も多くなり、持ちつ持たれつといった関係になっているのだ。

しかし今の若い夫婦は、自分の都合のいいときだけ親を頼り、親が困っているときは知らんぷりという感じがする。今まででいちばん驚いたのは、

「親は子供のために、お金を遣うのは当たり前」

という発言だった。親がいうのならまだしも、子供がいうのである。パラサイト・シングルという言葉があったが、夫婦でパラサイトしている。

「親のものは自分たちのもの。自分たちのものは自分たちのもの」

といった感覚か。マンションの頭金を出してもらい、じいさんばあさんの弱点である孫を引き合いに出して、お金を出させる。生活費まで援助してもらっていると聞くと、他人《ひと》

事《ごと》ながら腹が立ってきた。おまけに生活が困窮しているわけでもないのに、

「義務教育だから、金を払うのはおかしい」

などと屁理屈《へりくつ》をいって、小学校の給食費を滞納している若夫婦もいる。日々の生活に対して、それだけ援助してもらっているとなると、親がいなかった場合、彼らはマンションも買えず、外車にも乗れず、海外旅行にも行けず、外食もできずといったことになる。子供も子供だが親も親である。

いくつになっても子供は子供だし、それ以上に孫がかわいいのはわかるが、そこまでしてやる必要があるんだろうか。

「二人で所帯を構えたのだから、夫婦で話し合って生活しろ」

と突き放すことはできないのだろうか。子供のほうも、親から申し出があっても、

「これはお父さんとお母さんのお金だから、二人で遣ってください」

と辞退しないのか。

テレビで見た、子供の教育費をどうしてもひねり出せない家庭も、双方の親からは援助は受けられない。生活に余裕のある親がいる人といない人で、結婚後がこんなに生活が違うとは。本当に生活が困窮している人々には助けの手がなく、ちょっと贅沢したい、見栄《みえ》を張りたいというところには援助がある。世の中うまくいかないものである。また、子供に援助をしてやるどころか、年金生活もままならずに四苦八苦している、じいさんばあさ

ん世代もいる。子供に負担をかけさせたくないと、親は我慢してしまうのだろうが、やはり世の中は二極化に向かっているのだ。

私の場合は、身内に一切、老後の面倒を見てもらわないかわりに、実家の高額ローンを抱えている間は、親が倒れても介護はできないので、母と弟で相談して決めろといい渡してある。人並み以上の給料をもらっている身内に、あれもこれもと頼られるのは、甚だ迷惑なのだ。人間は甘やかしすぎるとつけあがり、堕落するというのが私の持論である。今後も身内に関しては、厳しく鍛えていくつもりである。

理想の人

湿気の多さ、すっきりしない更年期の不安定な体調で、ますます東京から逃れたい、都落ち気分になっている。特に二人の友だちのうちの一人は、何度もER（救急処置室）にお世話になり、幸い大事には至らずに生活しているが、

「もう東京はいやだ」

と心の底からいっている。

「私たちって、もう何十年も土の道を歩いていないんじゃない」

そういったら、友だちともども急に気分がめげてしまい、

「そういう暮らしって、やっぱり変だよね」

と暗くなった。土の上で裸足《はだし》になったことなど、四十年以上ないのだ。これまでは、

「これはどこか変だ」

と感じ続けていたが、最近は、

「やっぱり変だ」

になってきて、ERの常連の友だちは、

「こんな状態では、一年後、東京にいられる自信がない」

とまでいいだした。老後の財政縮小、環境優先の都落ちが、前倒しになる可能性も出てきたのである。

たとえば都会に住んでいても、土いじりをしたり、山歩きをしたりと、意欲的に自然に触れる機会を持つ生活をしている人々もいる。初めにも書いたように、私たちは田舎で暮らしたいといいながら、土いじりが大嫌いである。ガーデニングも、見ればそれなりにきれいだとは思いつつ、よくやるなあと他人事であった。土の道は歩きたいけれど、耕すのは嫌なのである。

このごろほとんどテレビを観なくなっているのだが、全国の百歳以上の方々が登場するNHKの番組だけは、楽しみにしている。なかには信じられないくらいに若々しい百歳もいて、びっくりさせられる。そのとき紹介されていたのは、大分の山間《やまあい》で一人暮らしをしている、キミエさんというおばあちゃんだった。たった一人で三百坪の畑を耕して、十種類の野菜を育て、買うものはお米くらい。もともと地元の出身ではなく、家族と一緒にそこに入植して、少しずつ襖《ふすま》や障子を設《しつら》えて、自分たちの手で家を建てた。都会に住む子供たちが同居を申し出ても、それを断ってずっと一人で暮らしているのだ。

近くに隣人がいるわけでもなく、山に囲まれた土地にたった一人。そういう生活をしている人というと、人嫌いで世の中を斜めに見た、偏屈なタイプが多そうだが、このキミエおばあちゃんは、めっちゃくちゃかわいらしくて、素敵な人だった。このような人柄ならばみんなから好かれ、どこに行っても楽しく生活できるはずなのに、あえて周囲に誰もいない環境を選んで暮らしている現実に私は胸を打たれた。

人間、表面上、いい人ぶるのはいくらでもできるが、彼女はすべてに対して、愛情があふれているのが、体中からにじみ出ている。といっても、あまりに善人すぎると、嘘っぽくて嫌だが、彼女の優しさの根底には、自分が請け負った厳しさがあるのがわかるので、本物だとわかる。子供に頼らず、声を出しても誰にも届かない場所で、たった一人で百歳を越えて生活している。不安なときも寂しいときもあるはずなのに、何でも育てたり、作ったりするのが好きだからと、今の暮らしを続けている。

昔、着ていたセーターなどをほどいたものを、いくつもの毛糸玉にしてあり、靴下などに編み直している。着る物も着やすいようにリフォームしている。だからといって、素人特有のセンスの悪さはみじんもなく、とにかくすべてがチャーミングなのだ。

「自分の手で物を作れる人は、本当に強い」

とあらためて納得した。自分の手で生みだせる技術があれば、景気向上には貢献できないかもしれないが、何かあったときにおたおたしないで済む。自分のことを考えてみると、編み物とちょこっとした和裁程度はできるので、衣生活は何とかなるが、家を建てるような根性も体力もないし、いちばん問題なのは食生活である。土いじり嫌いの都落ち計画のために、食べられる草について勉強すると、初回に書いたけれども、周囲に生えているのが食べたら腹を下す草ばかりという可能性だってある。ずいぶん前、取材で北京の郊外に行って、村の食堂で椿の葉っぱの炒《いた》め物を食べたときに、あまりの硬さに全く喉《のど》を通らなかったことを思い出したりした。

友だちに、

「すごいおばあちゃんを観た」

と話すと、偶然、彼女もテレビを観ていて、

「キミエさん、立派だよねえ」

と二人で手を取り合ってうなずいた。私たちが共通して感じたのは、

「自分の情けなさ」

であった。東京が嫌になって都落ちをしたいといいつつ、土いじりは大嫌いという。そのくせ土の道を歩いたことがないと落ち込む。いったい土が好きなのか嫌いなのかわからない。自分たちの都合のいいようにしか、考えていないのである。それは東京という人が住む場所を、無視してどんどんビルを建てる人々と、根本的に変わらない。

友だちと私は明らかに偏屈の部類に入る。いちおう礼儀はわきまえているつもりだから、人と接するときには失礼のないようにしているが、私は人好きではない。観察をするのは

好きだが、関わるのは面倒くさい。気乗りがしない宴会やパーティー、人込みに近づくと気分が悪くなり、どうしてもそういう場所に行かなくてはならないと、そこにいるのがみんな、動物か鳥だったらいいのにとつぶやく。人品卑しい人に遭遇すると、こいつは人間ではなくて化け物だと逃げ腰になるし、友だちと私がプライベートで話している内容を聞かれたら、闇夜に刃物で襲われるのは間違いない。それぐらい偏屈で意地悪な部分がある。都落ちも嫌なものから「逃れる」手段になっている。

しかしキミエおばあちゃんにはそんな気配はみじんもなかった。入植した土地、家屋に愛情を持ち、作物を育て農機具の手入れも怠らない。生活のどこにも逃げがなく、すべて受け入れて自らの手でさまざまなものを生みだし、静かにそして明るく暮らしている。私はといえば、洋服はもういらないといいながら、ショップからDMが来ると覗《のぞ》いてみたくなるし、着物もちょっと油断すると、誘惑に負けそうになる。全く何を考えているのやらと、我ながら呆《あき》れかえる。そのうえ土が懐かしいといいながら、土いじりが嫌いとは何事であるか。キミエおばあちゃんを観て、自分で自分に、

「こんな奴だとは思わなかった」

と激怒する始末であった。

キミエおばあちゃんに少しでも近づこうと、自分たちの食べる分は全部とはいわないまでも、葉物《はもの》くらいは作れるようにしたほうがいいのではという結論に達し、三人のなかで

いちばん背は低いが、いちばん体重が重く、学生時代に卓球部の部長であった私が担当になった。といっても今すぐにどこかを開墾するわけではなく、お勉強の段階である。野菜作りの本とDVDを購入したが、大丈夫だろうかと不安でならない。だいたい、ベランダでハーブを育てたときでさえ、あまりに群生するのにうんざりして、早く枯れてくれないかと願い、結局、全滅させたくらいなので、こんな私のもとで野菜が育ってくれるかはわからない。愛情を持たないと葉物の一株も育たないだろう。まだ完全に煩悩《ぼんのう》が捨てきれない私であるが、少しでもキミエおばあちゃんの人格に近づこうと、匍匐《ほふく》前進で動き出した次第なのである。

家計簿

私はこれまで何度か家計簿に挑戦したことはあるが、どれもみな、見事に途中で挫折《ざせつ》した。だいたい、毎日、何かを続けてやるのが性に合わないのだ。一人暮らしをしたときも丼勘定で、給料が振り込まれるとテンションが上がり、欲しい本を買ってしまうので、給料日から十日すぎると、懐が寂しくなっていた。一人暮らしをしている友だちのなかには、一日いくらと遣う金額を決めていて、少しでも余るとその小銭を貯金している人もいた。私とそれほど給料の差がないのに、何年かたって彼女がまとまった貯金をしていたので、びっくりした覚えがある。

私は手元にあるだけのお金を遣っていたので、いつも普通預金の残高は百円単位だった。ボーナスをもらえるようになると、五、六十万といった興奮する金額が残高に並んだが、これをすべて一枚の着物につぎこんでしまうので、すってんてんになる。

「会社に勤めているのだから、なんとかひと月しのげば、また給料日が来る」

と気楽に考えていたのだ。計画性のある人だと、ボーナスの五十万円のうち、貯金はいくら、洋服にいくらなどと振り分けたりするのだろうが、私の場合は一点集中主義だった。どーんと入ったお金を、ちまちま遣うといつの間にかなくなって、かえってお金の有り難みがないような気がして、

「これに遣ったぞーっ」

と明確にわかるものに、どーんと遣うのが気持ちがよかったのである。

このようにOL時代は先は何も考えず、ぱっぱかぱっぱかお金を遣った。どうしても足りなくなると、本やレコードを売った。その程度の微々たる金額で補塡《ほてん》できる範囲なので、借金をしたことはない。家計簿を付けると自分のお金の遣い方が見直せて、計画性が身に付くのが利点といわれる。確かにそうだと反省して、堅実な生活をしようと試みたが、何度やってもだめだった。十年に一度、私には家計簿の波が押し寄せてきて、

「付けてみようかな」

という気になる。若い頃に次の給料日までもたずに挫折したものが、最近やってみたら二か月間続いたのは、さすがに老後が気になったからであろう。

ずぼらな私だけかもしれないが、もともと丼勘定の人間が、家計簿を付けたからといって、すぐに堅実な人間になれるものではない。ただ発見はあった。私は酒を飲むわけでもないし、外食は全くといっていいほどしないし、毎日、三食自炊をしているので、着物さえ買わなければ、贅沢《ぜいたく》をしていないという気持ちがどこかにあった。が、月末の総支出額

を見たら、思いのほか出費が多いのに驚いた。その次に感じたのは、

「よくこんな調子で、会社をやめてからこれまで生活できたもんだ」

であった。まじめな人だと、

「これは大変。どこか切りつめられるのではないか」

と分析にかかるのだろうが、私の場合、しみじみと自分の運の良さに感謝しておしまい。しょせん、堅実な人間性とはほど遠いのである。

毎月必ず出ていく費用のなかで最も金額が多いのが、問題の実家のローン。あとは経費として一部認められる、私が住んでいる賃貸マンションの家賃。本代。生活費もろもろ。税金の支払いは金額が毎年変動するので、月々の出費にはいれていない。車は持ってないし、携帯電話も持っていない。電話代も一万円いかないし、携帯を持っている学生より少ないはずだ。光熱費も冬場はガス代が一万円を超えるけれども、通常は電気ガス水道それぞれ五千円で十分おつりがくる。ホースを引きずる大きな掃除機は壊れてから買ってないので、箒《ほうき》とちり取りと充電式掃除機で掃除をし、風呂《ふろ》の残り湯はバケツで移して洗濯機にいれたり、盥《たらい》で手洗いをして、脱水だけ洗濯機を使うようにしている。

「よくやってるじゃないか」

日々の生活ぶりを考えると自画自賛するしかない。本代は必要経費で削りたくないし、レアものの全集や単行本だと、それなりにまとまった金額が出て行く。都落ちすれば家賃

は安くなるけれども、今のところ具体的な予定はない。衣類購入も自粛しているし、本体に損傷がなければ、パンツのゴムも入れ替えて穿《は》いているし、見れば見るほど削りようがないのだ。

家計簿が続かない理由は、私の性分もあるが、振り込まれた金額を全部遣えない、税金システムが影響しているのは間違いない。年末にならないと総収入がどのくらいになるかわからないし、同時にそれまで税額もわからない。税金のために支出を抑えて経費が少なくなると、その分、手元にお金が余って税金がかかってくる。かといって、いい気になって遣っていると、税金の支払いに四苦八苦するはめになる。すべての税金を三割なら三割と決めてもらって、天引きして振り込んでもらえば、会社員と同じように全部遣っていいお金になるが、現実はそうではない。自分のその年の正しい収入がわかるのは、お金を遣っちゃった後なのだ。正しい収入がわからないのに、いくら支出だけをチェックしても、あまり意味がない。家計簿は定収入がある人のためのものなのである。

会社をやめて、定収入がない立場になってからの最高年収を一とすると、最低年収の割合は、それの五分の一である。最高金額を記録した頃は、某出版社の文庫の初版の部数は三十万部だった。今からは信じられない数である。預金残高は見たこともないような桁《けた》になっていたが、私はいつも、

「こんな状態がいつまでも続くと思うな。こっちのほうが間違いなんだから」

と何度も我が身にいい聞かせ、収入が上がった見返りに悪いことが起きるに違いないと疑心暗鬼になっていた。大金を持つとあたふたする私には、分不相応にお金があるよりも、ないほうがふさわしいような気がして、不安を払拭《ふっしょく》するために、ばんばん着物を買って、気持ちをリセットしていた。今になっては形に残るものではなく、旅行でもすればよかったと思うが、そのときは仕事が忙しく、旅行に出る暇もなかったのだ。

預金残高が減っても、もともと労働意欲に欠けている私は、生活水準を維持するために頑張らねばとは全く考えず、気分の赴くまま脱力気味に仕事をして、収入は下がっていった。家計簿が苦手な私でも、一冊目の本を出してから二十年間、単行本や文庫本の発行年月、初版、増刷分などの記録を残していたが、面倒くさくなってこの間、そのノートも捨ててしまった。初版部数もすぐに忘れ、何回か増刷されると、累計何部になっているのか、さっぱりわからない。そうはいっても増刷のお知らせがないとちょっと寂しいし、あるとやっぱりうれしい。電卓を叩《たた》くのはなるべく、体重管理のためにBMI指数の計算をするときだけにしたいけれども、いつまでたってもそうはいかないのが、悩みの種なのだ。

収入が一定ではない私は、家計簿を付けるときに、いったい何を基準にしたらいいのか。これから先、収入の最高金額を更新するのは絶対にないが、最低についてはもっと下がる可能性が大である。そうなったら収入の範囲内で暮らせるように生活水準を下げればいいわけで、将来のために、また現状を必死で維持するために、仕事をしまくる気にはならない。とはいえ、いつ私もワーキングプアになるかわからないのであるが。毎年年末になると、お金が余っても足りなくても頭をかきむしるはめになるのが悲しい。家計簿を付けて少しでも悩みが解消されるのならいいが、そうはならないので、やっぱり私には家計簿は向かないし必要ないと、深く納得したのである。

五百円玉貯金

自分と同年輩の人々の貯金額のデータを見て、想像よりも多かったのに驚いた。扶養家族が多ければそれだけ蓄えも必要だろうから、当たり前なのかもしれないが、実はお金が足りないふりをして、銀行には預けていない、壺《つぼ》かなんかに貯め込んでいるお金もあるのかもしれないなあと考えた。

私には貯金はない。郵便局の保険は貯蓄型らしいが、満期になると相当目減りするみたいなので、厳密には貯金とは呼べない代物だ。

「貯金が人生の目的じゃないしなあ」

そういったとたん、貯金は私のなかでどうでもいい問題になってしまう。これが私の悪い癖で、これまでさまざまな問題をこの調子でやり過ごしてきた。日に焼けてそばかすが増えれば、

「色白が人生の目的ではない」

せりでた下腹を横目で見ながら、

「ダイエットが人生の目的ではない」

とつぶやく。そうなるとすべてが、悩んでも仕方がない、どうでもいい問題のような気がしてくるのである。

気付いた時点で、何とかしなければと考えれば、展開もあるのだろうが、すぐに、「ま、いいか」となってしまうので何もしない。冷静になると、どうしようもない奴と我ながら思うのだが、これまた、「仕方ない」で済ませてしまう。以前は、「これではいけない。きちんとしなくては」と少しは考えていたが、最近はすべて肯定の日々になっている。

先日も駅で電車を待っていて、突然、

(私って、幸せ)

とうれしくなってきた。うれしいことがあったわけでもないのに、ふとそういう気持ちになったのである。電車がやってきてそれに乗り、揺られているうちに、

(もしかして、私ってものすごく能天気な大馬鹿野郎?)

とちょっと頭が冷えてきた。おめでたいのも程があるかもしれない。五十歳を過ぎた独身。きっつい性格のメスネコを抱え、実家のローンを払い、将来の仕事の保証もなく、白髪と体脂肪は増えるばかりで、他人に、

「いったいどこが幸せなんだ!」

と突っ込まれたら、

「本当にそうですね」

とうなずくしかないのだが、でも何だか幸せなのである。以前、書いたように、自分を取り巻く東京という環境に対しては、うんざりした気持ちはあるが、日々の生活のなかで、自分は不幸だと感じた記憶はない。それよりも若い頃に想像していた以上の生活をさせてもらって、運の良さに感謝する日々なのである。

三十年以上前、私が二十歳前後に想像していた中年になった自分は、パートタイムで働いている一人暮らしのおばちゃんだった。本当は図書館司書が理想だったのだが、司書の方々は勤務年数が長く、あまりに欠員が少ないという話を聞いたので、想像上でもそれは断念した。路地の奥の木造アパートに住んでいて、近所ののらネコが自由に出入りしている。子供の騒ぐ声に舌打ちをしながらも、本から目は離さない。洋服ダンスはないがとにかく部屋の中は本だらけ。書店、古書店めぐりが唯一の楽しみで、そういう生活に大満足している、といった暮らしだった。

欲しい本が買えて読める生活であればいいと考えていたので、その程度の収入があれば会社に拘束されない、パートタイムかアルバイトがいちばんよかった。今は派遣社員の処遇があまりに正社員と異なっているのが問題になっているようだが、当時は保障を求めなければ、パートタイムやアルバイトのほうが、正社員よりもひと月の収入が多いくらいだった。保障なんかどうでもいい。会社に拘束されず、自分の自由に時間が使える。こんなにいいことがあるだろうかと考えていた。仕事も水商売や男性相手、特殊技能、能力が必要なもの以外だったら、何でもやれる自信があったので、心配していなかった。世の中の厳しさもまだ知らないから、今よりもっとお気楽に考えていたのだった。

予定になかった大学に合格し、試しに受けた広告代理店に就職が決まり、転職を繰り返したあげく出版社に就職して、予想もしていなかった物書きになってしまった。今になってみれば、二十代からずっとパートタイムやアルバイトで食いつなぐのは大変なことで、自分の考えの甘さを反省するのだが、その反面、絶対に組みたくなかったローンも払わなくても済んだだろうし、見ず知らずの他人から理不尽に嫉妬《しっと》されたり、その逆に私の書いたものを読んだ、見ず知らずの他人を不愉快にさせることもなかっただろう。路地裏の無名の一人暮らしのおばちゃんのほうが、幸せだったかもしれないが、まあどちらにせよ、能天気に暮らしているのは間違いなさそうだ。

で、こんな大馬鹿野郎の貯金問題であるが、日々余った小銭を貯めるのは性に合わないので、五百円玉貯金というのをやってみた。おつりで五百円玉をもらったら、それを貯める方法である。五百円玉がなぜいいかというと、その重さである。あまりお金という感覚がなく、メダルを貯めている感覚なので、これならできるかもしれない。

たまたま商店街で、五百円玉専用の貯金箱を売っていて、そこには容量が二十万円、三十万円と書いてあった。家に帰って五百円玉の重さを量ってみた。一個七グラムで、二十万円貯めると二・八キロになる。ごく普通の厚さの単行本八冊分ほどである。これが三十万円となると四・二キロ。十二冊分になる。こんな重さでは有事の際に持って出られない。適当なところで銀行に持っていけばいいといわれるかもしれないが、自分が貯めた金であっても、口座に入金となったら、税務署から出所がチェックされる。いくら五百円玉貯金だといっても、屁理屈《へりくつ》で成り立っている税務署は認めないだろうから、タンス貯金にして手元の現金扱いにするしかないのだ。

あれこれ考えているうちに、ベッドルームの棚の上に、両手に載るくらいのネコの素焼きの貯金箱があるのを思い出した。形がかわいくて飾ったままになっていたのを手にとってみると、お腹の部分がくりぬかれてゴムのキャップがはめてある。割ってお金を取り出すタイプだと、顔があるものは壊すのが忍びないが、取り出せるタイプだと気が楽だ。私は試しにおつりでもらう五百円玉を貯めはじめた。最初は無意識だったが、そのうちになるべく五百円玉をもらえるように支払う知恵もついた。

三か月足らずで、お金がつっかえて入らなくなり、

「あら、いっぱいになったんだわ」

とほくほくしながら、ネコを持ち上げたとたん、どしゃーんと音がした。五百円玉の重量に耐えかねたゴムキャップが外れ、ネコの腹からどどどーっと五百円玉が出てしまった。絨毯《じゅうたん》の上に散らばったのを集めて数えてみたら、五万円もあった。ボーナスをもらった気

分である。うれしくなったのはいいが、いったいこれをどうするかだ。五百円玉を蚊取り線香の空き箱にいれて、じーっと眺めた。これで五万円の品物が買えるけれど、一度に遣おうとすると、いっとき騒動になった、五百円玉偽造犯人の一味に間違えられかねない。でもこのままとっておいても、どうにもならないような気がしてきた。

「うーむ、ちまちま遣うしかないか」

貯金計画は見事に中止となり、五百円玉の山は日々の買い物に遣われている。自分で貯めたお金にもかかわらず、遣うたんびにうれしい。この上もない幸せを感じる。やっぱり能天気な大馬鹿野郎だと納得しつつ、にんまりしながら五百円玉を二個握り、近所の書店に文庫本を買いに行くのである。

クリスマスカタログ

今年も一年を振り返るような時期になってしまった。いちばんの思い出としては、記憶がないくらいにめずらしく、九月に喘息《ぜんそく》状態が続く風邪をひいた。薬を飲まずに自力で体力回復をめざしたところ、完全に治りきるまでひと月近くかかったのだった。夏場の過ごし方が悪いと、秋口には肺毒が溜《た》まり、それを放出しようとして咳《せき》が出るらしいと、漢方の処方を受けている友だちが教えてくれた。ひと月間はそれなりに大変だったけれども、それで溜まっていた体内の毒が全部消え失《う》せたようで、めちゃくちゃ体調がよくなった。

「たまには風邪もひくもんだ」

と改めて認識したのが、私のプライベートの目玉である。これが目玉なのだから、まあ穏便に過ごせたといっていい。

「何とかこんな調子で、今年は過ごせそうだわい」

と来年の予定などをチェックしていると、銀行から封書が届いた。ローンの明細が書いてある返済計画書で、それを見て私は、

「えっ」

とちっこい目が二倍になってしまった。返済額が上がっているのである。

「ど、どうしてだ！」

うろたえながら、しばらく考えて冷静になってみると、ニュースで変動金利がどうの、〇・二五パーセント云々《うんぬん》といっていた。

「もしかして、私にも関係あるのかしら」

とそのときちらりと頭に浮かんだものの、ほったらかしにしていた。それがどうやら、私のローンはその変動金利とかという、誠にありがたくないタイプのほうだったらしいのである。

「や、やられた……」

実家を建てるときのローンの内容には私はノータッチだった。二人しか住まないのに、広い家を建てるのは無駄だといったのに、それを母と弟に押し切られ、ローンの配分は弟が決めた。契約書に捺印《なついん》するとき、

「お姉ちゃんは変動のほうだから……」

といわれたような気がしたが、意味もよくわからないし、とにかく不必要なローンそのものに腹が立っていたので、すぐにその場から立ち去りたくて、適当に聞き流していた。こちらとしては私が三分の二以上のローンを背負うのだから、悪い条件ではないようにし

てくれているであろうと、甘い考えがあったのも事実だった。

不愉快になっていたところ、新たな事実が発覚した。独身の弟は一部上場企業に勤務していて、その上場企業二百社の生涯賃金が週刊誌に掲載されていたのである。母や弟が、

「あれを買って、これを買って」

とねだってくるたびに、

「あんたたちは、いったいいくら給料や年金をもらっているかいってみい」

と聞いても、二人は絶対に口を割ろうとしなかった。その弟の給料がばれてしまったのである。

「ふふふ。悪事は必ずばれるものよのう」

とほくそ笑みながら表を眺めていると、彼の会社は百位より上にランクされていて、三億円以上ももらっていた。

「平均以上の額をちゃんともらってるじゃないか」

独身で給料を年間八百万円もらっていれば十分だ。あとは母の年金の金額であるが、あの性格からいって、たとえミイラになったとしても口を割らないと思うので、こっちのほうは一生、闇の中だろう。

記憶の奥底に眠っていた、不愉快な出来事まで思い出してむかついていたところ、きれいなクリスマスのプレゼント用のカタログが送られてきた。どす黒い人間の心にうんざり

していた私は、ふだんはカタログの類《たぐい》が届くと、見ないで捨てているのに、ついつい手にとってしまった。そのカタログは、かゆいところに手が届くというか、プレゼントをする対象は人間だけではなく、犬も含まれていた。犬がつけるアクセサリー、といっても首輪なのであるが、それが三十九万九千円！　トルコ石がびっしりと埋められたところに、イエローゴールドのダイヤ柄がとんでいるデザインで、人間でも日常的にこの値段の首輪をしている人はそうはいない。かわいいトイプードルがしているのは、ホワイトゴールドにダイヤモンドがちりばめてある骨の形のチャームで、お値段、三十一万五千円。お金持ちが、

「まー、これ、うちのマリリアちゃんにぴったり。買ってあげましょ」

なんて飼い犬にプレゼントするんだろう。

ああ、犬がうらやましいとページをめくると、いくつもの宝石が嵌《は》められた洒落《しゃれ》たペンダントが目についた。

「あら、これ、いいじゃないの」

値段を見たら、七百八万七千五百円であった。「七〇」は誤植か商品番号で、八万七千五百円ではないかと何度も調べたが間違いない。

「鍋《なべ》ぶたみたいにでっかいから値段が高いのか」

確認したところ、縦横とも三・五センチで、特別、大きいというほどでもない。すごい

なあと感心していると、一万円、二万円といった値段のものもあるけれども、高いほうはとてつもなく高いものが並べられていて、「はー」「ほー」と驚嘆しながら見入ってしまった。クリスタルとプラチナの花瓶が六百五十万円。初めて名前を知ったメーカーで、日本に一点しかないという紳士時計が四百七十万円。パールチョーカーが千十三万二千五百円。世の中にはこういうものを誰かにプレゼントする人がいるのだろう。六本木ヒルズでは、

ＩＴ企業の若い社長とモデルの、

「おい、お前は何が欲しいんだい。二千万円くらいならいいぞ」

「やーん。うれしい、じゃあ、これ」

などといった桁《けた》違いの会話がなされているのかもと想像しつつ、こんなものまでプレゼント品になっていたのかと思ったのが、バスルームリフォーム六百十万六千八百円。おまけにスタインウェイ&サンズのグランドピアノまで。こちらは千百五十五万円である。

「バスルームは、子供が親のためにリフォーム代金を負担するというわけか。ピアノのほうは裕福なじいちゃんばあちゃんが、孫に買ってやるんだろうな」

通常とは少し違う形のグランドピアノの横のちっこい文字を読んでみると、そこには、

「カール・ラガーフェルドモデル」

と書いてあった。彼はファッションデザイナーとして一時代を築き、ダイエット本などを出していた覚えがある。ピアノのデザインまでしていたとは知らなかった。

このなかで何よりもいちばんびっくりしたのは、月旅行一億ドルである。日本円で百二十億円！

「百二十億円！　あっはっは」

もうこうなったら笑うしかない。プレゼント品のあまりの金額のすごさを見て、私は変動なんとかで上がった金利など、屁《へ》のようなものではないかと思いはじめた。私は何百万、何千万、何億もする物品は買えないが、こういうものがちゃっかり、平気でカタログに載っていること自体が、おかしくて笑えてきた。

実家がらみの問題になると、つい眉間《みけん》に皺《しわ》が寄って不愉快な気持ちになるが、ローンの契約時の前に時間が戻るわけでもなし、

「あーら、金利、上がっちゃった。やだー」

とへらへらしていたほうが、精神衛生上いい。豪華なアクセサリーや風呂《ふろ》場や月が、

「あんたの悩みなんか、ちっちゃいよ」

と教えてくれた気がする。どうして私にこのカタログが送られてきたのか、理解に苦しむのであるが、とりあえず笑いをもたらしてくれて、

「カタログよ、ありがとう」

と感謝したのであった。

理想のがま口

バッグの中を整理していたら、財布が悲惨な状態になっているのに気がついた。今使っているのは、職人さんが手作りしたもので、薄いベージュの革に金茶、辛子、ブルーなどで模様が施してある、二つ折れの普通の形のものである。模様の一部分が擦れて消え、小銭入れの中も何となく薄汚れている。いつから使っているんだっけと思い出してみたら、すでに六、七年は経っている。財布を買うときは、デザイン、触り心地、使い勝手など、あれこれ吟味して買うけれども、いざ手に入れると毎日使うものなのに、中に入れるお金は気にするけれども、財布には関心を持たなくなる。だから、唐突に、

「げっ、こんなことになってた」

と驚いてしまったのである。

子供のときに持っていた財布は、母親の手作りだった。子供の持つものに金をかけるような時代ではなかったから、四角いフェルトにお花、蝶々《ちょうちょう》、バンビちゃんのアップリケや刺繡《ししゅう》をし、ファスナーをつけた簡単なものだった。お小遣いは、一年生のときは百円、三

年生は三百円、六年生は六百円といった具合だったので、子供がお札を手にする機会なんてほとんどなく、唯一、身近なのは五百円札だったが、紙が一枚あるのと、硬貨が五枚あるのとでは、迷わず硬貨のほうをとった。財布がずっしりしているほうが、何だかお金持ちになったような気分がしたからである。誕生日には特別にビーズのがま口を編んでもらったり、小学生のときに男の子からはじめてもらったプレゼントも、彼のお母さんが編んでくれた、手のひらにのるくらいの小さなビーズのがま口だった。制作に費やした母上の労力も考えると、五十年以上生きてきた私の人生で、いちばん高価な異性からのプレゼントだった。

中学生になると雑貨店で、ビニール製のいろいろな柄のついた財布をお小遣いで買っていた。耐久性もなく次々と新しいものが出てくるので、すぐに買い替えていたものだから、柄などは覚えていない。ちゃんとした財布を買わなくてはと意識しはじめたのは、高校に入学して、アルバイトができるようになってからだった。高校生のときに使っていた赤い革の財布は、はっきり覚えている。三年生の卒業間近だった放課後、鞄《かばん》に財布を入れたまま教室を離れて、戻ってきたら財布の中のお札だけが抜き取られていた。教室内には三人の男子学生がいて、戻ってきたときには姿を消していた。先生には彼らの名前はいわず、教室に生徒がいて、そしてお金を盗《と》られた事実だけを報告し、友だちには一切、いわなかったけれども、私は彼らが犯人と決めつけた。財布を鞄の中に入れたままにしておいたの

がいけなかったのだが、お金が無くなったのは事実なので、
「世の中って信用できないのねえ」
としみじみ思い、その財布を盗人《ぬすっと》が触ったと思うと気持ちが悪くて、すぐに捨ててしまったのだった。

大学生、社会人になったときに持っていた財布は覚えていない。店にいくと財布の種類が多くなって、どれを選んでいいかわからなくなっていた。数はたくさんあるのに、手にぴったりくるのはとても少なかった。友だちに聞いても、小銭入れは別に持っている人、財布に小銭入れもついているのを好む人、それも小銭入れの部分が口金派、ファスナー派、スナップ派、長財布派とさまざまだった。毎日手で触るものだから、個人の癖や好みがとても強く反映されるものなのだ。

勤めていた会社をやめて、物書き専業になったとき、ブランドの財布を買ったこともあった。値段も値段だし、どんなに使い勝手がいいのだろうかと、大奮発して買ったのであるが、使い心地は最悪だった。この財布のおかげで、値段の高いものが自分にとってよいものではないと身をもって知った。なぜだろうかとあれこれ考えた結果、財布には罪がない。これと私の生活水準が合わなかったのである。この財布を買う人は、支払いは何でもカードか小切手ですませ、私みたいにスーパーマーケットで、ニラやちりめんじゃこを買い、

「えーと、あと二十六円ですね」

と確認しながら、必死に小銭をつまむような生活はしないのである。値段は高かったが全く未練なく、欲しいといってくれた若い女性にあげた。

いっそのこと、集金袋みたいな形にするかと端切《はぎ》れで縫ってみたが、名前の通りに集金には便利だが、お金を出すには向かないとわかって使用をあきらめた。どこのブランドかはっきりわからないもの、目立った金具がついていないもの、手触りなどと選んでいくと、結局気に入った財布が見つからないまま、日が過ぎていった。そんなときに友だちが、誕生日のプレゼントに黄色のシンプルな財布をくれたので、ありがたく使わせてもらっていた。支払いをする際にその財布をバッグから取り出すと、店の人に必ず、

「黄色い財布はお金が貯まるんですよね」

といわれた。

「はあ、そうなんですか」

といいつつ、この財布が人目に触れるということは、ここからお金が出ていくわけだから、貯まるわけがないじゃないかと思っていた。やはりその財布を持ったからといっても一向にお金は貯まらず、おまけに拾った直後だったうちのネコが、その上に、

「げーっ」

と思いっきり毛玉や草を吐いて、大きなしみと臭いがついてしまい、せっかくのプレゼ

ントだったのに、廃棄処分せざるをえなくなった。金が貯まるといわれているものは、私には縁がないらしいとあきらめた。

今の財布を選んだ理由は、しっかりした作りで、手触りがよかったからである。口金の狂いもないし、縫い目のほつれもない。革も最初は硬めだったのが、ほどよく柔らかくなって手になじんでいる。模様が擦れて消えているだけが問題なのだ。これも味のひとつだと思えないわけではないが、見る人が見たら、みすぼらしいと思うかもしれない。

いったいどうしようかと考えていると、財布と一緒に同じ柄のがま口も買っていたのを思い出した。すぐに思い出せないところが、悲しき五十代である。いずれ着物で暮らすようになったとき、帯の間にはさんで使えるようにと買った、昭和のお母さんたちが持っていた厚みのないがま口で、横十四センチ、縦八センチ、厚みは一センチほどだ。中はシンプルに二つに仕切られているだけで、もちろんカードを入れる場所はない。それを見て私は複雑な気持ちになった。昔はこれですべて済んでいたのだ。片側にお札をたたんで何枚か入れ、もう片方は小銭。何とシンプルなことだろう。それに比べて、今使っている財布は、カードを入れるスペースが作られ、小型のシステム手帳ほどの厚みになっている。それも札束や硬貨でふくらんでいるのではなく、カード類でなのである。

財布にはお金が引き出せる類《たぐい》のカードは入れないことにしているが、ポイントカードも含めて何枚のカード類を持っているのかと数えてみたら全部で十五枚もあった。こんなに枚数がなくても、人はちゃんと生活してこられたのにと反省した。物を少なくして暮らしたい身としては、昔ながらのがま口を使うのが理想だが、ケチな私はまだ今の財布にも未練がある。まだ財布の機能が失われていないのに、廃棄するわけにはいかない。私は金も遣うが基本的にケチなのである。この財布が使用不可能になったとき、待機しているがま口を登場させる。そのときは私の生活もそれに合うようなスタイルになっていなくてはならない。「それまでしばらく待っててちょうだい」と、私はがま口をタンスの引き出しにしまったのだった。

お客様

テレビショッピング専門チャンネルがあると知ったのは、今から五、六年前である。売り手の裏事情と買い手を取材していて、担当者が鉢植えの造花をどうやって売るかという話だった。それも扱う数が百、二百ではなく、何千という単位だったので、

「売れるわけがないじゃないの」

といいながら見ていた。だいたい商品自体が、

「わあ、これ欲しい」

というような代物《しろもの》ではなかったし、そんなにテレビショッピングで買う人間なんているわけないと高を括《くく》っていた。ところがその造花はどんどん売れて、完売してしまったのである。どこにそんなにこれを必要としている人がいるのか、まさかとびっくりする事態が起きているのであった。

テレビショッピングに命をかけている、買う側の女性たちもすごかった。ずーっとテレビの前にへばりついて、衣類、食品、全く区別なく、気に入ったものがあると電話に走っ

て、リダイアルを繰り返す。すでに番号がインプットされているのである。

「きゃー、残り十五だ」

とあせっているので、何事かと画面を見てみると、在庫数がカウントされていて、どんどん数量が減っていくシステムで買う側の気分を煽《あお》る。数量限定のものを他の人と争って買えたという現実が、今でいえばささやかな「勝ち組」意識を刺激して、より満足感をそそるのだろうか。私には理解できなかった。

それまでにも番組内のコーナーや、コマーシャルとしてテレビショッピングを見たことはあった。最初は時計やアクセサリーが多かったように思うが、高枝切り鋏《ばさみ》、健康器具、サプリメントなど、さまざまな物が売られるようになり、ほとんど番組的には添え物のような存在で、メインというわけではない。ところがうちの大家さんが地デジ対応のケーブルテレビを敷設してくれて、観られるチャンネルが一気に増大した。いちばん驚きだったのは、そこここにテレビショッピングの時間帯があり、プログラムが充実していない部分を、テレビショッピングで埋めている現実だった。そしてそれと同時に、朝から晩までずーっと商品を売っている、テレビショッピング専門のチャンネルが、とうとううちのリビングルームに襲来してきた。

画面で番組表を調べると本当に朝から晩まで、ずーっと商品を売っている。まあ、出てくるわ出てくるわ、夏場に涼しい茣蓙《ござ》、さまざまなデザインのパンティーセット、いくら食べ物を残しても平気なくらいの数が一セットになっている密閉容器など、家の中にあるものはすべて、売り出しているのではないかというくらいの品物の多さだった。

バッグを売る番組には、ゲストとしてそのバッグに自分の絵を提供した画家の女性が出演していた。私は彼女を素敵な女性だと憧《あこが》れていたので、

「こんな番組に出る人なのか」

とちょっとがっかりしたり、画家もいろいろ大変なんだなと思ったりもした。

インターネットショッピングや、テレビの通販番組がこんなに増えて、かつての通販は怪しいというイメージは完全になくなった。私もカタログの通販を利用したり、インターネットでも買い物をする場合がある。でもどうしてテレビショッピングを利用する気にならないのだろうかと考えると、欲しい物がないのがいちばんの理由だが、押しつけられるイメージが強いからなのだ。

テレビショッピングで、商品を紹介している人（ナビゲーターというらしい）にも感じのいい人とそうではない人がいる。商品を売る使命を帯びているから、必死なのだろうが、

「ごらーん、くださいませ、お客様。素敵でしょー」

などと甲高いねっとりした声でいわれたり、商品をがさつな態度で売り込まれると、うんざりしてくる。

「はー、そんなに素敵じゃないですけどねー。安っぽいですよねー」

と私は一人で相槌《あいづち》を打つ。売り手が力めば力むほど、しらけるのである。

「本当にあんたはそれがいいと思ってるのか」

舌先三寸という言葉も頭に浮かんでくる。時間が経つにつれて注文経過が報告されると、彼女のテンションが一段と上がり、

「あ、お客様、ただいまブレイクしております！　ブレイクしております！」

と叫んだりする。

「ふん、何がブレイクだ！」

私の不快指数が増すにつれて、画面の中のナビゲーターのテンションは上がるばかりなのであった。

ある料理研究家が自分が企画した商品を紹介していたときは、ナビゲーターが彼女と相性が悪いのかやる気がないのか、それとも疲れていたのか、相手が熱心に説明するたびに、

「えー、えー」

と、厳密にいえば「え」の字に濁点が付いたような声で相槌を打っていた。明らかに、

（うんざり）

といった雰囲気が漂っていた。商品は買わないが、出演者をチェックするには面白い。テレビはカタログよりも立体的に商品が把握できる利点はあるかもしれないが、ナビゲーターによって印象が左右される。それが証拠に、何十万円もする宝飾を売るときは、もの

すごく格調高い話し方をする、皇室番組ナレーターといってもいいような女性が出てきたりと、ナビゲーターの使い分けがなされているのだ。今はテレビを観ると目が疲れるので、ほとんど観なくなってしまったが、たまたま番組表を見たら、テレビショッピング専門チャンネルが知らないうちにもう一チャンネル増えていた。相変わらず健在なのであった。

先日、三味線のお稽古《けいこ》に行くと、御歳八十三の師匠が、

「もうテレビショッピングで買わない」

と怒っていた。どうしたのかと聞いてみたら、テレビを見ていて、吸引力がすごい卓上掃除機を紹介していたので、これがあればこまめに掃除ができて便利だと購入した。ところが使ってみたら、テレビで紹介しているような吸引力が全くない。むっとした師匠がすぐに購入先に電話をすると、別の電話番号にかけるように指示された。すると注文したときに電話口に出た感じのいい女性とは正反対の、全くやる気のなさそうなおじさんが出てきて、

「だいたいねえ、テレビで宣伝している内容なんか、信用しちゃだめですよ」

といったという。今は買う側がきちんとクレームをつけるから、多くの業者は良心的だと思うが、中にはこのような会社もあるのだ。

買い物をするのが街の商店、インターネットやテレビであっても、相手から、

「お買い上げありがとうございます」

といわれれば悪い気はしない。「特別なお客様」扱いされればなおのことだ。「お客様、お客様」と連呼されると洗脳されて、ただの視聴者ではなくお客様になった気分になってしまうのではないだろうか。あれを買え、これを買えと、手を替え品を替え攻めてくる商品情報を目の当たりにして、

「あなたは店にとって顧客ではなく、ただのターゲットである」

といっていたアメリカの学者の言葉を思い出したのであった。

別れの日

出かけようとコートを手に取って、思わずぎょっとした。カシミヤの半裏仕立てで軽くてとても暖かく、十年以上前から愛用しているものだ。買って間もない頃、これを着て歩いていたら、ホームレスのおじさんがにこにこして近づいてきて、無言で私のコートを撫《な》で、またにこにこしながら去っていったことがあった。私はびっくりして立ちつくしていたのだが、気に入って買ったもので、

「おじさんもこのコートを見て、触ってみたくなったのに違いない」

とうれしかった。そのお気に入りのコートの袖口《そでぐち》は、毛は摩耗し裾《すそ》も擦り切れる寸前。つまり着用ぎりぎり状態になっていたのである。

心配になってこのコートと同時に買ったカシミヤのスカートを調べてみた。このスカートはもともと丈が長めなのを、裾が擦り切れそうになるたびに、自分で手縫いで裾上げをして穿《は》き続けたお気に入りである。すでに二回裾上げをしていて、今回もと見てみたら、すでに生地の性《しょう》が抜けていて、やはりこちらもこの冬が最後になりそうだった。

心底、がっかりした。コートもスカートも冬場に外出するときは必ず着ていたもので、とても愛着がある。外出用はこれらの一枚ずつしかなく、つまり着用不可能となると、私の外出用の洋服が無くなってしまうのである。流行のデザインではないけれど、まるで自分の皮膚みたいになっていて、着ていて全く鬱陶《うっとう》しくない。本当に体になじんでいたのだが、それと別れなくてはならないなんて、断腸の思いである。

次に新しいのを買えばいいじゃないかといわれるかもしれないが、私の場合、洋服を選ぶのが一苦労なのである。身長に合わせると幅が入らないし、幅に合わせると丈が長くて全体のバランスが崩れる。また今の洋服はほとんど着捨てる感覚でしか作っていないので、縫製も雑で生地も見てくれはいいが、いまひとつなじまない。私の手から離れつつあるコートとスカートは購入時に合計二十数万円出したが、十年以上、毎年冬場に気持ちよく着られたことを考えると、最初の出費は大きかったが、とても満足している。しかし今ではそういう作りの服はほとんどない。オーダーメイドだったらば可能かもしれないが、そんなマダム向きの服は座敷童子《ざしきわらし》系の私には似合わない。

「コートではなく、サイズが関係ないケープやマントはどうか」

とも考えたが、ちんちくりんの私が着ると、それがいくらカシミヤであっても、ロシアのてるてる坊主みたいになってしまうのは間違いない。それより何より経費削減を迫られる家計のなかで、かつてのように何十万も洋服には出せない。

「うーむ、来年から冬場のお出かけは、コートとスカートなしか」

と頭を抱えた。ふだん家にいるときは、夏場はTシャツにチノパンツかコットンパンツ。冬場はセーターにコーデュロイパンツで、ここ何十年、ずーっと変わらないので、特別、問題はない。着物は何とか枚数があるので、割り切って着物に切り替えてしまえばよいのだが、大雨、大雪の日に人に会うために外出しなくてはならないときもある。そんなときに質のいいコート、スカートがそれぞれ一着ずつはあってもいいじゃないかと思うのであるが、その一着選びが難航を極めるのであった。

愛着のあるコートとスカートを手放すのが惜しくてたまらず、私は着るたびにため息をついている。

「今日はもうだめだと思っているけれど、明日《あした》になっていれば、そうは見えないかもしれない」

と期待してみたが、翌日になっても状態は変わらなかった。というより日々、頼りなくなっていくのが手に取るようにわかる。少しの皺《しわ》はブラシをかけてハンガーにかけておけば、見事に消え失《う》せていたのに、生地の性が抜けた今は、皺はくっきりと残るようになった。

「やっぱりだめか……」

物には寿命というものがあるのだから、仕方がないのにあきらめきれないのだ。

あれだけの出費をしたのだから、私にとってコートもスカートも、一生着られなければ嫌なのである。つまりそれくらいの物でないと、お金を出したくない。しかし世の中の洋服の流行のサイクルは、どんどん早くなってきているので、次から次へと新しい物を着たい人にはいいけれど、

「ああ、この服がある」

と質と縫製がよく、それでいて多少お洒落《しゃれ》っぽい服を、長い間楽しんで着たい私には、とても服が買い難い状況なのだ。

会社に勤めていれば、それなりに洋服の枚数も必要になるだろうが、洋服にかけるお金の五年間分を集計したら、若い女性のほうが私よりもずっと出費していると思う。私は一度にどかんと出すが、衝動買いは全くしない。しかし彼女たちはシーズンごとに流行のデザインのものを新調したりするだろう。それを合計したら、相当な金額になるのではないか。私も若い頃はまだ洋服選びもそれほど大変ではなかったので、あれこれ手頃な洋服を買った時期もあったが、それが虚《むな》しくなっていつの間にか「一度にどかん」方式に変わっていった。

数年前の夏場、打ち合わせを兼ねた会食があった。もともと持っている洋服の枚数が少ない上、雨続きで外出用の洋服の在庫が底をついた。実は着ようと思っていた麻のシャツがあったのだが、久しぶりに出して着てみたら、胸回りはゆるいのに、腹回りと腕回りが

ぱっつんぱっつんになっていて、このままだと大声で笑ったとたんに、腹部分のボタンがちぎれとんでしまうのではないかという状態になっていた。あわてて隣町の繁華街に行って、服を物色した。そこは若者に人気のある場所で、彼ら向きの服はあるが、おばちゃん向きの服は本当におばちゃん向きのものしかなく、探すのに苦労した。

そんななかで雑貨店の隅にひっそりとおいやられている、一枚のブラウスがあった。無地に見える紺色の細かいチェックの、艶《つや》のある薄手の綿のチャイナカラーで七分袖。若者には地味すぎて売れ残っていたのか、値段が二千円と破格であった。手に取ったとき、見かけはいいけど、洗濯したら終わりになるかもと少し不安になった。布地に加工がしてあって、それが張りと光沢を与えているような気がしたからだ。それでも切羽詰まっていたので、そのブラウスを購入して打ち合わせに行ったら褒められた。特別、うれしくなかった。翌日、手洗いしてみたら、予想通りブラウスには張りも光沢もなくなり、皺だらけの貧乏くさーい代物《しろもの》に成り下がってしまった。

こういうときに私は、二千円だからいいやと割り切れない。金をドブに捨ててしまったと後悔する。これまでも麻雀《マージャン》に負け、競輪ですりと、一般的にいわれる「金をドブに捨てる」行為は数々やったけれど、そのときはそうは感じない。それなりに満足感があったからである。しかしこのブラウスの場合はそうではなかった。値段が値段なので、五年も十年も着ようとは思っていないものの、一度の洗濯でこうなるのはやはりショックだった。

若い頃は洋服を次々に買うと、ストレス解消になっていたが、そういうこともなくなった。「これだけ払ったんだから、一生着てやる」と鼻息が荒くなるのと同時に、何てせこい奴と自己嫌悪に陥る。そして春が来たら愛するコートとスカートと別れなければならない現実を思うたびに、悲しくて涙が出そうになるのである。

食費

先日、新婚の三十代後半の女性と話をしていたら、生活が大変だとため息をつく。彼女はフリーランスで仕事をしていたが、結婚直後に妊娠が判明して、今は仕事を休んで東京近県で家事専業になっている。五歳年上の夫はごく平均的なサラリーマンである。

「贅沢《ぜいたく》をしているわけでもないのに、あっという間にお金が無くなるんです」

家計簿をつけていれば、理由がわかるといえばいいのかもしれないが、自分が家計簿挫《ざ》折《せつ》者なので、とてもじゃないけどいえない。

「まあ、そうなの。それは大変ねえ」

とうなずいているしかなかった。

あまりにすぐにお金が無くなるので、

「会社の人たち、給料が安いとか、文句をいってない？」

と彼女が夫にたずねると、

「そりゃあ、これだけ働いているんだから、もっと欲しいってみんないってるけど、新聞なんかでいわれている平均的な額より、とりあえずは多いし。子供が何人もいる家は教育費が大変だっていってるけどね。でもそういう人たちも、毎月、決まった額を貯金しているっていってた」

という。たしかに子供三人を抱えた五人家族の生活は大変だろうが、彼女のところはまだ夫婦二人である。なのになぜその家よりもお金が残らないのか。毎月貯金するなんて無理なのだ。

「もしかしてその人、特別手当をもらってるんじゃないの」と疑いの目を向けても、「それは絶対にありえない」と夫はいい張る。

とにかく首をかしげ続ける妻のために、夫が同僚に経済状態を聞いた結果、理由がわかった。同僚の家賃の相場は、八万八千円から九万円程度だった。会社はターミナル駅から電車で三十分ほど奥にある。同僚は会社から三十分から一時間、沿線の先に住んでいる。ところが彼女たちのマンションはターミナル駅から十分ほどの場所にあり、通勤には下り電車を使っている。

「うちは家賃が十五万五千円なんだけど」

夫が正直に家賃をいったら、みんなに、「高すぎる」と呆《あき》れられ、

「サラリーマンとして、朝、乗車するのは上り電車が当たり前だろう」

「そんなターミナル駅の近くに住む必要はないのでは」

数々の意見を受け、夫婦は、「うーん」とうなってしまった。

「計算したらだいたい年間で、八十万円前後の差が出るんです。でも引っ越したくないんですよ。天井も高いし、二人で住むにはゆったりした2LDKかもしれないけど。旦那《だんな》さんと顔を突き合わせて暮らすのは嫌です」

新婚とはいえ、三十代後半の新妻はクールである。住宅会社が熟年夫婦のために、「三メートルの思いやり」などと宣伝しているが、新婚でもぺったりくっついていたいわけではないのだ。

「部屋が気に入っているんだったら、しょうがないわよね」

住む部屋はそれぞれの好みだから、私がとやかくいう問題ではない。実家を出て以降、他人と暮らした経験がないので、室内に人がいる生活がどういうものかわからない。一部屋で顔を突き合わせて暮らしても平気という夫婦もいるだろうが、個人のプライバシーが欲しいという人もいるだろう。しかし理由はどうあれ、彼女はとにかくやりくりを考えなくてはならない。

「いろいろと考えて、食費を削ることにしました」

これが彼女が出した結論だった。

「結婚してはじめてわかったんですけど、うちの旦那さん、痩《や》せてるのにものすごく食べるんですよ。晩御飯も必ず三杯おかわりするし。その後、スナック菓子一袋とか、コンビニで買って来たケーキを食べるんです。それなのにどうしてあんなに痩せているのか不思議で仕方がないです。私なんかひと口余計に食べただけで、すぐに太るっていうのに」

「でも完全にやめろとはいえないでしょう」

「はい。だから毎日の食材の質を落とすしかないです」

私は生活のなかで、口にいれるものがいちばん大切だと思っているので、質を落とすとなると、ちょっと不安になる。私だったら家賃か食費のどちらかを削らなくてはならなくなったら、家賃を選ぶ。住まいに関しては、掃除が苦手だから広い家に住みたいとも思わない。自分が必要な最低限の基準さえクリアしていれば、どこにでも住める。彼女はこれから出産を控えているので、ふだんより余計に体に気をつけて欲しいが、質を落として大丈夫なのかなと老婆心が出てしまう。

今の若い人たちは節約するとなると、平気で食費を削るようだ。百円ショップで食品も売っているし、ちょっとお腹を満たせるものはたくさんあるからだろう。食事にお金を遣うのがもったいないので、晩御飯がスナック菓子のミニ袋だけという人もいる。彼らにとって、食事は生きるために必要な優先順位の一番ではないのである。

昭和二十年代に生まれた私が親からいわれたのは、

「何よりもまず、食事はきちんとしたものを、とらなくてはいけない」

だった。私自身が軽いアレルギーがあり、薬も病院も嫌いで、お世話にならないようにという気持ちもあった。なるべく添加物を摂取しないように気をつけてはいるが、今の世の中では完全に排除するのは無理なので、自分の納得する範囲で口にいれるものを選んでいる。それでも一般のスーパーマーケットに売られているものよりは相当に割高で、

「何とかならんのか」

といいたくなる。毎食、肉や魚が並ぶわけではなく、ほとんど穀物と野菜だけの食卓なのに、私の食費は相当かさんでいる。

無農薬の野菜や食材を扱う店に行くと、以前はあまりいなかった若者の姿を多く見かけるようになった。食事も無頓着《むとんちゃく》派と関心派とはっきり分かれていて、関心派の彼らはものすごく熱心に、商品のラベルを見詰めている。天然醸造の醬油《しょうゆ》、味噌《みそ》、乾物、無農薬野菜が入ったカゴを抱え、もちろんマイバッグ持参である。同年輩の青年に比べて、彼らのエンゲル係数はさぞかし高いことだろう。

テレビのドキュメンタリー番組で紹介されていたが、ニューヨークのオーガニック商品を扱う店では、品物が格安に売られていた。その理由は店の会員が交替で自分の都合のいい時間にボランティアで店員をする。それでコストを下げているのである。みんなが食の大切さを認識して、買う側も意識を変えていかなければ、安全な食べ物は手軽にみんなの手に入らない状況なのかもしれない。

米は玄米を購入して、卓上精米器で好みの分搗《ぶづ》き米にし、三食自炊で暮らしている私で

あるが、チョコチップをいっぱいまぶしたメロンパンやカップ麵《めん》が無性に食べたくなるときがある。幼い頃に、チクロやサッカリンといった添加物が体に入っているだろうから、体内から仲間を呼んでいるのかもしれない。そんなときは誘惑に負けて食べてしまうのであるが、必ず食後に、頭がぼーっとしてくる。ふだんもぼーっとしているが、それとはちょっと違う感覚になる。

「あーあ、食べちゃった」

とちょっと後悔するけれど、そんないけない自分も嫌いではない。食べることは個人的な問題であるので、それをとやかくいうつもりはないけれども、節約しなければならない彼女には、無理をせずに無事に赤ちゃんを産んでもらいたいと願うばかりである。

目指せ、きりたんぽ

寒暖の差が激しいとはいえ、とっくに冬は過ぎているので、コーデュロイのパンツをしまって、チノパンツを取り出した。室内着に関しては、ジャージ禁止を自分に課している以外は、特別、気を遣っていない。特にネコを飼い始めてから、抱きついてきたり、体をもみもみしながらよだれを垂らしたりするので、値段の張るものを買っても、消耗が早くてもったいない。かといってあまりに安い物だと、染料に問題があるのか、ネコが抱っこを拒絶するので、様子を見ながら、ネコに拒絶されない程度の品物を通販で買っている。その外国の通販会社のサイズもほぼ把握しているので、選ぶのに何の苦労もなく、とても楽ちんなのである。

で、チノパンツなのであるが、穿《は》いてみてびっくりした。去年まではチノパンツらしいゆとりがあったのに、今年はタイツみたいに下半身にぴったりとはりついているではないか。ストレッチパンツだったかと勘違いしたくらいである。

「何じゃ、こりゃ」

全くゆとりのないチノパンツを穿いたまま、鏡の前に立ってみると、こんな言葉しか出てこない。あわてて体重を測ってみたら去年よりちょっとやせている。しかしそのかわりに体脂肪がぐーんと増加していて、明らかに筋肉が落ちて脂肪が増加し、体がゆるみきっているのがわかったのである。

「今はタイツだが、しつこく穿いているうちに布地が伸びてゆるくなるかもしれない」

そのチノパンツは購入して二年目なので、すでに生地は伸びきっていると思われたが、私は可能性に賭《か》けた。タイツ型チノパンツを穿いて、膝《ひざ》の屈伸運動を何度かしてみたが無駄だった。私の身長からいって、これ以上、幅の太いチノパンツを穿くと、間違いなく作業ズボンにしか見えない。そんなため息をついた私の前に、また新たな壁が立ちふさがったのである。

知り合いの方のお葬式に参列するために喪服を着なければならなくなった。久しぶりに試着してみたら、ジャケットはまだしも、体に沿ったラインのワンピースが問題だった。上半身はともかく、下半身がぴったぴたで、お辞儀すらままならない。くしゃみをしたとたんに脇の縫い目がびりっと裂けるのは間違いない状態になっていた。腰から太もものあたりの脇の縫い目を触ってみても、もう一ミリたりともゆとりがない。薄手のウールなのに、これまたニットみたいにぴったりはりついて、体形があらわになっている。必死に腹を引っ込めてみても、限界があり、

「ここに下腹あり」

と存在感を強調しているのであった。全体的にきついのならまだわかるが、肩まわり、ウエストラインはゆるい。これではワンサイズ上のを買っても、下半身はちょうどよくても、上半身はぶかぶかになるのは間違いない。

「あーあ、肩のあたりはこんなにゆるみがあるのになあ」

嘆きつつ、ついバンザイをしてみたら、手を上げたときにずりあがったスカート部分が、手を下ろしても下腹が防波堤になってすとんと下りず、ウエスト部分にたまって、ワンピースの丈が短くなった。ウエストまわりでは、蛇腹《じゃばら》状に布地がくしゃくしゃになっている。葬式でバンザイをする習慣がなくて本当によかった。

去年着たときは、こんなにひどくなかった。体型崩壊自体は何年も前から起こっていたので諦《あきら》めているが、私の崩壊の傾向が明らかにわかった。同じ体型崩壊でも、顔に肉がつくタイプ、上半身が太るタイプ、下半身が太るタイプ、これらすべてが襲撃してくるタイプとあるが、私は典型的な下半身が太るタイプである。体中の脂肪が相談をして、年々、下半身に集結しているらしい。

これまで全く努力しなかったわけではない。食事を減らしたほうがいいのかとやってみたが、あまりに減らしすぎると、物事にやる気が起きなくなった。食事量を元に戻すと、やる気も出てきて元気にはなるが、やっぱり太る。毎日の散歩はまた復活させたが、体のためにはいいかもしれないけれど、体重を減らすにはあまり効果がないように思われる。病気でもないのに糖尿病の治療食を取り入れてみたりしたが、確かにやっている間は体重は減ったけれども、いつの間にかやめてしまった。ダンベル体操も初回はものすごい効果をもたらしてくれたが、二回目は全くだめ。すべて継続しないと効果は期待できない。飽きっぽい私にはそれができないのである。

私が若い頃は、エステサロンなどというものはほとんどなかったが、痩身《そうしん》サロンとやらの話を聞くと、一キロ減らすのに一万円が必要だという噂だった。もちろんそんな金額など出せるわけがなく、どうにかならないものかと悩んでいたが、今から比べれば、

「何をそんなに悩む必要があったのやら」

といいたくなる体形だった。胴長短足は変わらないにしても、少なくともまだ肉が万有引力には負けていなかったからである。

周囲の女性たちも体重増加には悩んでいる。自力では無理なので、第三者に金を払うと割り切った人もいる。下腹の脂肪吸引手術を受けるのは怖いから、器具を当てて脂肪をぶんぶんとぶっとばす美容器具を、三十数万円で購入した。

「寝転んでこれを下腹に当てているだけで、なんたらかんたら効果で脂肪がぶっとんでいくんです」

まるで開発者のように彼女は自信を持って宣言していたが、いまだに下腹が痩《や》せた気配

はない。

そんな悩める私の前に姿を現したのが、ビリーである。ケーブルテレビをザッピングしていたら、黒光りする筋骨隆々の黒人男性が、二十人ほどの男女を従え、迷彩柄のパンツを穿いて運動していた。エアロビクスのように、お調子よく跳ねまわるわけでもなく、いわゆる筋トレとも少し違う。いったい何かと見ていたら、「ビリーズブートキャンプ」という、軍隊式トレーニングを取り入れた、彼が開発したエクササイズだった。短期間で効果があがるように、「七日間集中ダイエットプログラム」となっている。いくら痩せるといっても、エアロビクスみたいに動きが大きいものは、集合住宅に住んでいる身としては、階下のお宅に迷惑がかかる。でもこれはそんなに動き回らなくてもよさそうだし、七日間という短さも、飽きっぽい私には向くかもしれない。学生時代、卓球部の部長だった私は、基礎トレーニングを毎日やっていた。ランニング、ウサギ跳び、千回の素振り。それが今できないのは、ひとえに怠け心ゆえである。

ビデオ、DVDの値段は一万四千七百円（送料別）。ビリー本人は、とても五十二歳には見えないくらいに若々しい。「ビリーズブートキャンプ」が気になってならない私に、知り合いの若い女性が、

「『ビリーズブートキャンプ』って知ってますか。私、注文しちゃったんです」

という。おお、きみもビリーを知っていたかと話を聞いたら、彼女の友人の六十歳をす

ぎているお母さんがこのトレーニングをしたところ、「だるまが笹団子」になった。還暦をすぎてこのトレーニングをしようと思い、また実践したお母さんには敬服する。だるまが笹団子ということは、ウエストがくびれたのであろう。私は笹団子よりも、きりたんぽを目指したい。三角フラスコはビリーのおかげで「きりたんぽ」になれるのだろうか。金をドブに捨てるはめになるのではないか。購入に悩む私の心を見透かしたかのように、画面の中のビリーは黒光りする両腕をぶんぶん回しながら、

「やれ」

と鋭い目つきでアピールしてくるのであった。

ブートキャンプ入隊

ビリー・ブランクスの眼力に負けて、とうとう「ビリーズブートキャンプ」を購入してしまった。私がダイエット関係で一万円以上の金額をはたいたのははじめてである。大昔に購入した「ミコのカロリーＢｏｏｋ」は何百円といった程度だったし、ダンベルも一万円はしなかった。肥満が気になるとすぐにジムに入会したり、エステティックに通ったり、得体の知れない謎の痩身《そうしん》器具を購入したりと、大枚をはたく人も多い。しかし私はそういうところはとてもケチである。食材や着物を買うとなると平気で財布の紐《ひも》をゆるめるのに、そういうものに関しては逆なのだ。

たとえば病気が理由で、むくんだり肥満したのならば別だが、私の体型崩壊はひとえに自分が悪いからで、摂取カロリーよりも消費カロリーが少ないから、体重が増加して現在に至っている。自分の責任で太ったのだから、自分の力で痩せられるに違いないとずっと考えていた。これが間違いだったのである。がんばればいつでも痩せられるつもりだったのに、そう簡単にはいかないとやっとわかった。体脂肪率も普通と肥満の境界線を行ったったり来たりしている現状で、もうあとがないのである。

「これからファッションモデルとしてデビューするわけでもなし」

などとやけっぱちで考える。いっときはそれで納得しても、何日かするとせり出た腹をつまみながら、

「あーあ、何とかならんのか」

とため息をつく。

「それなら何とかすればいいじゃないか」

と自分で突っ込むのであるが、それが何とかならないのは、ひとえに私の怠惰な性格ゆえである。

「あーあ、息を吸っただけで太るような気がする」

こんなことばっかりいってたら、痩せないのは当たり前なのだ。

そこに現れたのが、「ビリーズブートキャンプ」だった。TV通販では物を買うまいと心に決めていたのに、財布の紐をゆるめてしまったのは、知り合いの友人の六十歳過ぎの母上が、一週間で「だるまが笹団子」になったという話がきっかけだった。若い人は何だかんだいっても代謝がいいので、

「きっと若い人だけに効果があるんじゃないのかしら」

と疑いの目を向けるが、自分よりも年上の人に効果があったと聞くと、

「それじゃ私も大丈夫かも」

と期待したくなるではないか。

届けられたDVD四枚、ゴムチューブ、測定用メジャーを見たとたん、

「いやーん、これをやって『きりたんぽ』みたいにすっきりしたらどうしよう」

とすでに痩せた気になってうれしがっている。大馬鹿野郎である。トレーニングというものから遠ざかって、三十数年経っているので、やり通せるか不安であったが、まずは夕食前の夕方にやってみることにした。

床にヨガマットを敷き、一巻目の基本プログラムのDVDをセットすると、十人ほどを従えて、筋骨隆々とした黒光りするビリーが登場する。相変わらず強烈な眼力で圧倒される。うちのテレビは液晶の十七インチなので、画面の中のビリーはGIジョーの人形くらいの大きさだが、大画面のテレビだったら、強烈な筋肉と眼力にのけぞってしまいそうだ。ビリーに指図されるまま、体を動かしはじめたら、うちのネコが冷たい目で私を見ている。

実は先に購入していた知り合いから、

「DVDには問題はないんですけどね、これをやってるとネコが冷たい目をするのが欠点なんですよ」

と聞いていた。その通りだった。

(何やってんだ、こいつ)

と小馬鹿にしているのであろう。

「かあちゃんは大変なんだよ。これをやらないと、えらいことになるんだから」

そういってもネコの視線はずっと冷たいままだった。

内容はストレッチが主で、エクササイズの基本をたたきこむものだ。スクワットをするときは膝《ひざ》がつま先よりも前に出ないようにするというのもはじめて知った。次から次へと動作が変わるので飽きる暇がないのはありがたいが、辛《つら》くなったときの「もう一セット」がきつい。軍隊式トレーニングなので、

「お前はこんなこともできないのか」「歯をくいしばれ」

と叱咤《しった》、叱責され続けるのかと思っていたが、ビリーは、

「疲れたら休んでもいい」「無理をするな」「でも諦《あきら》めるな」

といってくれる。根底に愛があるではないか。

「ビリー、いい人だ」

感激しつつも、体は思うように動いてくれない。結局、あっけなく二十分で除隊……。

「みんなよく続けられるなあ」

椅子に座りながら、呆然《ぼうぜん》とDVDを見続けていると、息もしずまってきて、

「ま、ちょっとやってみっか」

と復隊したものの、すでにへとへとなので力が出ない。八回やるところを半分の四回が

精一杯である。

「最初から全部できるわけないわ。だって五十過ぎてるし、これが全部できるくらいなら、太るわけないもん」

自分を甘やかして初日を終えた。

それなりに辛かったが、やった後はとても気分がよくなった。特に下半身がほかほかと温かい。今まで体内でじとーと停滞していた血液が一気に流れはじめたのかもしれない。友人には筋肉痛になるといわれていて、翌日、たしかにそうなったが、それが太ももの裏側の、今まで全く使っていなかった部分が動いて、なんだかとってもいい感じになったのである。

「これなら続けられるかもしれない」

謳《うた》い文句は一週間の集中プログラムであるが、私の場合は、体を慣らしつつ一か月で何とかなればいいやというつもりで、休み休み、除隊と復隊を繰り返しながら、基本プログラムのみで二日目を終えた。

その翌日、私は鏡に映った姿を見て、あれっと首をかしげた。メジャーで測ってみたら、ウエストとヒップが二センチずつ減っているではないか。びっくりしてヘルスメーターに乗ってみると、体重や体脂肪率は多少は減ったものの、ほとんど変わらない。ただ汗がにじみ出たのと、何度もトイレには通った。水太り体質で体内に溜《た》まっていた水が、運動したおかげで押し出されたのだろうか。最初はついていけなかったのに、腕立て伏せも他の動作もだんだん回数ができるようになってきたけれども、二センチ減のままで変化はない。試しに次の段階のDVDの二枚目、応用プログラムを観てみると、ブートキャンプ色が濃くなり、

「すべては脂肪燃焼のため」「余力を残すな」

とビリーが活を入れる。それはその通りなのだが、スクワットアンドパワーキックなんて、とてもじゃないけど無理だ。三枚目、四枚目など観るのも恐ろしくて封さえ切っていない。それでも体を動かすのは気分がいいので続けてはいるが、未《いま》だに基本プログラムから抜け出られない。基本もろくにできないのに先に進んでも無駄だと思うからである。笹団子になったお母さんは、すでに五キロ減だそうだ。還暦を過ぎてブートキャンプに入隊し続けている忍耐力と体力には敬服する。私は彼女を目標とし、DVD購入のもとをとるために、ケチ根性を丸出しにして、ネコの冷たい視線にもめげずに、基本のみを細々と続けているのである。

いつものごはん

野菜が主役の簡単ごはん

　私は野菜が好きだ。若い頃は野菜を取らなくても何とも感じなかったが、歳をとるうちに、野菜をきちんと食べていると、体の感じが違ってくることがわかった。外食が続いて野菜が不足してくると、どうも体が重い。それが野菜をたくさん食べると、体がすっきりしてくる。とはいっても、野菜は緑黄色、淡色を合わせて、一日に三百グラムから四百グラムをとらなければいけないらしく、そうなるといくら好きだとはいっても、たいへんなことになるのだ。

　朝は味噌《みそ》汁に小松菜などを入れる。昼間は仕事をしているので、あまり物を食べられない。満腹になると頭の働きがますます鈍くなるので、おにぎり一個くらいにしておく。そうなると野菜がほとんど取れなくなってしまうのだ。それを一気に解決しようとすると、晩御飯に山のように野菜を食べなければならない。火を通した野菜のほうが好きなので、煮るか炒《いた》めるかになり、ある時期からつい最近まで、ずっと気に入って作っていたおかずがあった。

にんじん、小松菜、ニラ、チンゲン菜、もやし、キャベツ、玉ねぎなど、緑黄色野菜を中心に、家にある野菜を、片っ端から入れる。基本的にはオリーブオイルを使った野菜炒めなのではあるが、使っているのがステンレス製の厚手の鍋《なべ》なので、オイルはほんの少しで、あとは蓋《ふた》をして野菜の水分で蒸すといったほうがいいかもしれない。こうすると野菜それぞれの味がして、とてもおいしい。また絶対欠かせないのが干し海老《えび》で、これを入れるとほとんど味つけをしなくてもいいくらいになる。野菜炒めにアスパラガスやブロッコリーを入れることもあるし、豚肉や牡蠣《かき》を入れることもある。一度にたくさん野菜が食べられるし、作るのは楽だし、私の晩御飯の定番になっていた。

しかしさすがに、これにも飽きてきて、いったいどうしたらよいかと悩んでいた。家族がいればいろいろなバリエーションのおかずが作れるが、一人暮らしだとそうはいかない。とにかく野菜をたくさん取るという前提があるので、多種類を食べられるメニューでなければならない。何かないかと考えていたところ、あるイタリアンレストランで食べたパスタを思い出した。キャベツとアンチョビのパスタで、シンプルでおいしかった。とにかく私は簡単じゃないといやなので、本当の作り方とは違うのかもしれないが、適当にやったら、それなりに食べられたので満足している。

準備するのはキャベツ、ブロッコリーとオイル漬けのアンチョビ、それにパスタである。野菜はとにかくたくさん入れる。私の場合は、パスタを食べるというよりも、野菜を食べるといったほうがいいかもしれない。ステンレスの厚手鍋にほんの少しの水を入れて、ちぎったキャベツと小房に分けたブロッコリーを入れる。蓋をして火にかけて蒸す。蒸し上がったらそこにアンチョビと、漬けこんであったオイルを適当に入れてまぜる。それをグッドタイミングでゆで上げたパスタにからめればおしまい。簡単なことこの上なく、これににんじん、玉ねぎ、じゃがいもが入ったスープがつけば大満足である。私は自分が手を加えれば加えるほど料理をまずくすると自覚しているので、簡単で野菜がたくさん食べられる料理を、これからも覚えたいと思っている。

朝はパンと黒ゴマペースト

私は子供のころから、御飯が大好きだった。朝食にパンを食べるという人がいると、

「パンなんかで、朝から力が出るものか」

などといっては、ひたすら御飯を食べ続けていた。

ところがここ二、三年、パンもいいなあと思うようになってきた。私は食い意地がはっていて、満腹にならないと食べた気がしなかった。あるとき友だちに、

「このごろお腹がもたれて体が重いの」

と相談したら、

「食べ過ぎよ、きっと」とあっさりいわれてしまった。たしかに考えてみるとそうだった。朝食を食べない人が多いというが、私は朝食を食べないほうが体調が悪くなるので、ちゃんと食べるし、おいしいとおかわりまでしてしまう。年をとると代謝が落ちて、二十代と同じ量を食べ続けていると、体重が増えるという話を読んだことがある。まさしく私の場合がそうで、

「前と同じ量しか食べていないのに、どうして体重が増えたんだろう」

と考えていたのだが、運動もせずに食べていたら太るのも当然なのだった。

しかし私はダイエットはしたくないので、

「ま、いいか」

といいながら、食べ続けていた。ところが三十代はそれでよかったが、さすがに四十代になると体のほうがその量をうけつけなくなってきたのである。そして食べ物の好みも少し変わってきた。パンなんて朝に食べる習慣などなかったのに、今はパンを食べるのが当たり前になったのだ。

パンは必ず天然酵母を使って焼かれ、砂糖が入っていないものを買う。そしてそれに黒ゴマのペーストを塗って食べる。はちみつも砂糖も何も加えていない、黒ゴマだけの製品だが、これがものすごくおいしいのである。おかずは卵焼きの中にじゃこをまぜたり、トマトをまぜたり、そのときどきで違うが、味噌汁は必ず作る。日本ならではの和洋折衷メニューである。たまに野菜スープを作ったりするが、どうも物足りない。具はそのときに応じていろいろだが、小松菜とわかめは必ずいれる。並べてみると、何の関係もなく、すごい色合いではあるのだが、別にこれで雑誌のグラビアを作るわけではなし、自分が食べたい物を食べればいいのだと開き直っている。

パンに黒ゴマペーストを塗って食べ続けていたせいかどうかはわからないが、最近、生えていた白髪の根元がまた黒くなっているのを見て驚いた。もちろん和食でも黒ゴマは使うことができるが、毎日となると難しい。私のようなひとり暮らしでは、パンに塗って食べるのがいちばん手っ取り早いのだ。完全な白髪というのはもとに戻すのが難しいのかもしれないが、よーく見ると、なかには白髪になろうか、どうしようか迷っている毛がある。グレーになったり白くなったりしているものだ。そういう毛に対して、黒ゴマペーストはきっちりと、

「あんたは黒」

と位置づけてくれたようである。こういうことがあって、私はますます、朝食にパンと黒ゴマペーストが手放せなくなってしまった。お腹にもたれることもなく、そうなると腹八分目が気持ちよくなってきて、体にいいような気がしている。きっと朝食のパンと黒ゴマペーストは、私がおばあさんになっても続くメニューになることは間違いない。

大人のひじき

子供のころ、ちゃぶ台の上に必ずのぼったおかずがある。それはひじきである。ひじきの中に細切りにした豚肉、人参、油揚げが入っていて、それはまるで決まっているかのように、毎日、毎日、メインのおかずの横に鎮座していた。母親は婦人雑誌などで、目をつけたおかずを見つけると、それを切り抜いて、スクラップブックに貼り付けていた。私はときどきそのスクラップブックを、のぞき見していたのだが、その一ページ目に貼り付けてあったのが、このひじき煮だったのである。

私は海苔《のり》は好きだったが、この色の黒いひじきはどうも好きになれなかった。見るのもいやだというわけではないが、どうも箸《はし》は伸ばしにくい。ひょろりとしていて変に曲がっていて、煮てあっても何だかまだ生きているようにも見えた。

「どうしてこのような妙な物が、世の中に、それも食べ物として存在しているのだろうか」

と不思議でならなかった。卵焼きなどの好きなおかずばかりを食べようとすると、母親

は、

「ひじきも食べなさい」

といった。私が躊躇《ちゅうちょ》していると、

「体にとってもいいのよ」

といい、おいしそうに食べてみせた。私にとってひじきは大人の食べ物だった。子供向きの食べ物は赤や黄色でかわいいきれいな色をしている。海苔は黒いけれどもおにぎりには欠かせない物だ。しかしひじきは食べなくても、どうってことはないはずだと、子供は勝手に解釈し、しぶしぶ二口くらいは食べたが、毎回ちゃぶ台を見ては、

（また、この黒い物がある）

とうんざりしたものだった。

ところが今、私はひじきが大好きになった。ひじきの煮た物を買ったことがあるが、どれもこれも味が濃すぎる。料理の本を見ていたら不器用な私にも、簡単に出来そうだったので、本よりもっと簡単に自己流でやってみたら、あまりに楽ちんでおいしかったので、それから途切れることがないように常備しているくらいだ。

中にいれるのは油揚げのみ。自己流のやり方なので、とんでもないことをしているかもしれないがお許しいただきたい。ひじきを水でもどして、少量のごま油で炒《いた》める。ごま油がないときはオリーブオイルで代用することもある。そこに油揚げを入れて、これも炒め

る。ひじきにつやが出てきたら、そこに少な目の水を入れて化学調味料などが無添加の粉状のだしの素《もと》をふり入れる。これは多めのほうがいいような気がする。そして蓋《ふた》をして煮る。途中、味を見て、ほんの少しだけ醤油《しょうゆ》を足すこともあるが、私はほとんどだしの素だけで煮てしまう。そしてだし汁がほとんどなくなってきたら、調理はおしまいという、ものすごい手抜きのひじき煮なのだ。

味が濃くないので、たくさん食べられるし、ひじきそのものの味がしてとてもおいしい。注意を払うのは、ひじきと油揚げの品質だけである。ひじきはカルシウムも鉄分もある。女性にとってはとてもいい食べ物らしい。きっと山のようにひじきを食べる姿を目撃した人は、びっくりするかと思うが、大人になった私は、ひじきなしでは生きていけないくらいになってしまったのである。

生春巻きと野菜の関係

年下の友人のために、七、八人が集まって、自作の料理を持ち寄り、誕生日パーティーを開いたことがある。ある友人は、

「揚げ物が得意だから、天ぷらを作る」

といい、また別の友人は、

「ふだんは一人暮らしで煮物も作れないから、煮物を作る」

という。私は前々から作りたいと思っていた、生春巻きに挑戦した。

当日の午前中に、友人たちと車で都心の有名な高級スーパーマーケットに買い出しに行った。そこで驚いたのが、商品の値段であった。生春巻きは野菜の鮮度が命である。たしかに鮮度はいいのだが、値段がものすごく高い。私は友人と、

「高いわねえ、こんなところで毎日買い物をしている人がいるのかしら」

といいながら、「今日は特別」という思いで、野菜をカゴにいれて歩いていた。鮮魚売り場でも、

「高いわねえ」

とため息をついた。生春巻きには海老《えび》を使うのであるが、トレイには小さな海老が、一尾いくらかひと目でわかるくらいの値段がついている。すると友だちが、

「ほら、これを見て」

と小さなトレイを持ってきた。そこにはひと粒いくらとわかる小柱があった。小さなトレイなのに、それが千円以上もするのだ。

「こういう物を買うなんて、ものすごく罪悪感があるわ」

とにかく私たちは、「今日は特別」といい続けてお祝いの日の買い出しを終えた。

生春巻きは海老さえ湯通しすれば、あとは火を使うことがほとんどないので、煮物を作る友人にうちの台所を譲った。高級スーパーマーケットで買ったレタス、ニラなどは元気がよくて野菜らしい香りがした。シャンツァイなども香りが強く、作っているときから食欲をそそられた。円い春巻きの皮を水でふやかして、野菜と海老、シャンツァイをのせて包む。なんだか内職のような作業だ。封を切ったばかりのスイートチリソースとナンプラーを適当にまぜて、ソースを作ったらおしまいである。友人が作った小柱のかき揚げ、コロッケもおいしく、飛魚《あご》出汁《だし》の煮物もはじめて食べたが、こくがあっておいしかった。新鮮な食材のおかげで生春巻きはとても評判がよく、

「また作ってね」

といってもらって、みんなとても満足した誕生祝いになった。

それからひと月ほどたって、また友人と集まって食事をしようという計画が持ち上がり、生春巻きを作ることになった。今度はお祝いでも何でもないので、食材は近所のスーパーマーケットでの調達である。手順も何も変わらない。ところが出来上がって食べてみると、なーんの味もしない。とにかく香りがしないのだ。

「おいしくないね」

私がつぶやくと、友人も、

「うん、この間と全然違う」

という。とにかく味わいというものが全くないのだ。生で食べる野菜は鮮度が命である。私は高級スーパーマーケットを理不尽に代金をつり上げているのではないかと思っていたが、やはり質が違った。こういう経験をしてからは、

「生春巻きには鮮度のいい野菜が命」

ということを肝に銘じたのであった。

夏の思い出ミント白玉

ふだんはほとんど間食をしないのだが、夏場はどういうわけだか冷たいおやつを食べたくなる。私は洋菓子よりも和菓子のほうが好きなので、豆かん、葛《くず》切り、みつ豆、あんみつなどを頭に浮かべただけで、たらーっとよだれが出てきてしまう。そしてそんなときに思い出すのが、子供のころ、母と一緒になって作った「ミント白玉」だ。

ミント白玉を作るとき、母はただ、

「よーく、手を洗っておいで」

というだけだった。そういわれると私は、

「あ、ミント白玉だ」

と喜び、いつもはおざなりに手を洗うのに、このときだけは、こってりと石鹸《せっけん》を手にこすりつけて、ていねいに洗った。ボウルに白玉粉と水を入れ、私と弟が泥遊びをするように、白玉粉をこねる。外での泥遊びはそのときは楽しいが、「あとでちゃんと手を洗え」だの、「水を出しっぱなしにするな」など、あれこれいわれて、楽しさと面倒くささが半分半分であった。しかし白玉作りは楽しいあとに食べるという楽しみが待っている。泥団子はいくつ作っても食べられないが、ミント白玉は作った分だけ食べられるのもうれしかった。

私と弟は一生懸命に粉をこねこねする。母は様子を見ながら、水を足したり粉を足したりする。ちょうどいい具合になってきた白玉の生地は、もちもちして触っているととても気持ちがよかった。いつまでもこねていたかったのに、母はあっさりと、

「はい、ご苦労さま」

といって、そのうちの三分の一ほどをとりわけ、そこにミントのリキュールをほんの少しだけ垂らした。ミントをいれてきれいな緑色に色付くように生地をまぜるのに、粉がついたままの手で殴り合いの喧嘩《けんか》になり、

「そんなことをするんだったら、作らないよ」

と叱られて、しぶしぶ弟に譲った覚えがある。白い生地をひとつまみ手の平に載せ、ミントが入った白玉粉をちょっとだけまぜる。そしてくるくると丸めると、白地に緑のマーブル模様の白玉団子が出来上がる。それを平たく押し、人差し指で真ん中を少しへこませると、私と弟の出番は終わりであった。

母はそれを熱湯に入れてゆで、浮き上がってきたはしから、氷水に入れた。私と弟は冷えていくミント白玉をじーっと眺めていた。すぐに食べたいと訴えるのを、母は、

「冷えるまで、だめ」

といい、冷蔵庫の中からグラニュー糖で作っておいたシロップを取り出した。ガラスの器にミント白玉を入れシロップをかけて、やっとの思いで白玉を口に入れると、すっとするミントの風味と、白玉のもちもちした感じがうれしくて、

「何ておいしいんだろう」

とうっとりとした。白玉ぜんざいも食べたけれど、ミントのほうがちょっとお洒落《しやれ》で洋風な感じがして、私は好きだった。

大人になって同じ物を作ったことがあるが、まずくはないけれど、どうしてこんな物をあんなに食べたかったのかと、首をかしげた。自分たちで作る楽しみがあったとはいえ、歯磨きをした直後に白玉を食べた感じしかしなかったからである。私の中でミント白玉というのは、とても特別な夏のおやつだったのだが、相当、思い出で味が底上げされていたのだと、そのときはじめて気がついたのだった。

水ようかんに悪戦苦闘

今からずいぶん前、まだ二十代のころ、夏場のおみやげに竹筒に入った水ようかんをいただいたことがあった。

「すぐ冷蔵庫に入れて下さい」

といわれていたので、冷蔵庫で冷やした。暑くてうっとうしい時季だったので、私はことのほかうれしくて、食べるのを楽しみにしていたのである。

ところが、それを冷蔵庫から取り出して、皿の上に載せたのはいいが、いったいどうして食べたらいいのか、見当がつかない。下さった方は何本か小分けにして、一人暮らしの私にもお裾《すそ》分けをしてくれたらしく、竹筒の他は何も入っていなかった。

「これはいったい、どうしたら食べられるのか」

首をかしげて皿の上の竹筒を眺め続けていたのである。竹筒の中に入っているのでは、バナナみたいに皮をむくことはできない。私は食べられることはわかっているが、どうやって食べていいかわからない餌《えさ》をもらったサルのように、振ったり匂いをかいだりしながら、竹筒をいじくりまわしていた。

まず、笹の葉の蓋《ふた》を取りしげしげと眺めた。竹の内径は約一センチほどだ。舌の先を細く丸めて筒の中に入れ、水ようかんを必死にえぐり出そうとしたが、とてもじゃないけど無理であった。次はスプーンを持ってきたが、先だけが入って水ようかんはほじくり出せない。だいたいそんなことをしても、一度にほじり出せる量は知れている。そんな食べ方をしても、おいしいわけがない。次はフルーツフォークである。筒の内側にそってぐるっとえぐると、水ようかんはすくえたものの、やはりぼろぼろとくずれる。

「うーむ、いったいどうして食べるんだ」

筒の中をのぞき込んでみても、どうなるわけでもないのだが、サルは必死になって水ようかんを全部食べようとした。もうやぶれかぶれになって、むりやり筒に口をつけて吸い出そうとしたとき、はっと頭の中に明かりがともった。

「空気を入れればすべり出るのでは……」

ところが悲しいかな、それはわかったものの、どうやって空気を入れていいやら見当がつかない。竹筒を斜めにしてこつこつとテーブルにぶつけてみたり、何度も振ったりした。そのとき何かのはずみで空気が入り、つるりと水ようかんが出てきて、サルの願いは叶《かな》ったのだが、どう考えてもこれが正しい食べ方だとは思えないのだった。

空気を入れるのはわかったが、どうやったらいいのかと、空の竹筒を手に考えていると、穴を開けるということを思いついた。サルは学習するのである。穴を開けるのにいちばん開けやすい場所、底に千枚通しを刺してみたら、いとも簡単にすっと開いた。

「なーんだ、そうだったのか」

冷蔵庫からもう一本出してきて、底に穴を開けてみたら、何の苦もなくつるりっと水ようかんが出てきたではないか。

「わはははは」

一人で大喜びした。とても達成感があった。あまりのうれしさに、友だちに自慢しようと思ったのであるが、はっと思いとどまり、サルは部屋の中で赤面した。

私は竹筒に入った水ようかんはとっても好きで、夏場に必ず一度は食べるのであるが、これを食べるために悪戦苦闘したことは、絶対に誰にもいえないままなのである。

栗好きの幸せ

編集者というのはみな酒が好きだというイメージがあるが、男性でも甘い物が好きな人は多い。男性中心の編集部でも、三時のおやつを欠かさないところもある。おやつの時間になると、男性の部長や局長がうろうろとやってきて、お菓子置き場のまんじゅうや最中《もなか》などを、つまんで持っていき、特に人気は栗最中や栗入りまんじゅうであるという。なかには一人で三個も持っていく人がいて、部下から「ひどい」と総すかんをくらうこともある。遅くまで働いていると脳が糖分を欲しがるようで、餡《あん》だけでなく栗も入っていると、グレードアップした感じがして喜ばれるらしいのである。

社員三十人ほどの出版社の編集者に聞いた話であるが、栗蒸し羊羹《ようかん》を何本か買ってきた。そのとき編集部にいた二、三人でまず一本を少しずつ食べ、残りを冷蔵庫に入れておいた。残量は二十センチはあった。そして翌朝、何気なく冷蔵庫を開けた女性が、「わっ」と大声を上げげた。どうしたのかとみんなで集まって見てみると、そこには栗の姿だけが忽然《こつぜん》と消えた、ぼこぼこに大きくえぐれた羊羹だけが残っている、栗蒸しならぬ栗なし羊羹が横たわっていたのである。

「こんな食べ方をして、ひどいわね」

仕方なくえぐれた羊羹だけをみんなで分けて食べた。そして翌日、冷蔵庫を開けると、昨日と同じような無残な形の栗なし羊羹が、ラップもかけずにそのままの姿で、硬くなっていたというのだ。

いったい誰がこんなことをしたのかと、女性たちが怒って、社員を片っ端から問いつめると、みなそれぞれにアリバイがある。するとその騒ぎを聞きつけた社長がやってきて、

「あ、それ、おれが食ったの。栗は好きなんだけど、羊羹は嫌いなんだ」

とい放った。それ以来、その社では栗蒸し羊羹を買うことはなくなった。

私も栗が大好きなので、社長の気持ちはとてもよくわかるが、土台の羊羹があってこその栗蒸し羊羹で、栗がなくなったらただの羊羹というよりも、もっとさびしーい食べ物になってしまう。

最近ではコンビニで、食べるだけになっているむき栗を、十粒ひと袋で売っている。私はそれを見ると手を出さずにはいられない。仕事をしながら食べるのだが、口に入れると「うふふーん」と顔がゆるんでしまう。甘栗も好きだ。甘露煮は甘すぎるのは苦手だが、ほどほどの甘さの物は、少しずつ味わって食べる。季節限定の栗をつぶして茶巾《ちゃきん》絞りのようにしてあるお菓子などは、食べるのがもったいなくて、身もだえしてしまうくらいだ。

それ以来、栗を見ると、その社長の顔が頭に浮かんで仕方がない。いい歳をしてといいたくなるが、そういう人でも抗《あらが》えない何かを栗は持っている。私はなるべく農薬をつかわないで収穫した栗を買うのだが、虫が食っていることもある。それは当たり前なのだが、割ってみて黒くなっていると、心からがっかりする。そんなに落胆しなくてもいいのにと、自分でも思うのだが、

「ああ……虫が……」

とてももったいなくなる。栗は形もかわいいし、栗好きの私は栗柄のTシャツを見つけて、色違いで三枚も買ってしまったくらいだ。栗には年齢、男女にかかわらず、人を子供に戻してしまう不思議な力があるような気がする。栗を食べていると私はとっても、幸せで心が安らいでくるのだ。

沖縄の素朴なお菓子

私は沖縄料理が好きだ。夏場はもちろんのこと、冬場でも食べたくなるほどだ。真っ黒のいかすみ汁、豚の耳のミミガー、紫色の田芋も大好きだし、もずくもらっきょうも豆腐もすべて、中身がぎゅっとつまっていて東京で食べるよりもはるかにおいしい。どれも性根が据わっているという感じがして、それぞれの個性的な味がきちんとある。ゴーヤも大好物で、チャンプルーやおひたしももちろん食べるし、ゴーヤジュースも一日三回も飲んでしまうくらいだ。

東京での沖縄料理の店というと、お酒が飲める人にはいいけれど、下戸の私にはちょっとな、という場合が多い。居酒屋という雰囲気があって、料理をきちんと食べるというよりも、お酒が中心という感じがする。どこかに料理を食べさせてくれる店はないかしらと思っていたら、たまたま知り合いの知り合いである、沖縄出身の姉妹が、隣町に沖縄料理の店を開店したというので、行ってみた。ここがとてもおいしいので、喜んで通っている。ご近所の家族やカップル、また友達同士と、いろいろな年齢の人々が集まるような店なのだ。

定番のゴーヤチャンプルー、ラフテー、ソーキそばもおいしいが、アロエのおひたしもはじめてそこで食べた。これはアロエのゼリー状の部分を切り、酢醤油《すじょうゆ》につけてある。ところてんみたいな風味があって、さっぱりしていて、一緒に行く酒飲みの友達は、

「これで胃腸は守れるね」

といいながら、毎回注文している。これは沖縄料理というよりも、店のオリジナルなのかもしれない。

また、この間は、珍しいお菓子を食べさせてもらった。沖縄のお菓子というと、サーターアンダギーという揚げ菓子をいちばんに思い出すが、出してくれたのはゴーヤの黒砂糖まぶしだった。

「これは母親が作ってくれたお菓子なんです」

縦半分に切って中のわたを取り、幅二、三ミリの火の通ったゴーヤにたっぷり黒砂糖がくっついている。とても素朴なお菓子だ。泡盛を飲んでいた友人は、

「これを食べながら、お酒を飲むとおいしい」

といい、薬草茶を飲みながら食事をしていた私は、体がほっとするおいしいおやつをいただいたという感じだった。最初は黒砂糖の甘さが口にひろがり、嚙《か》んでいるうちにだんだんゴーヤの苦味が出てくる。

「ただ水とゴーヤと黒砂糖を鍋《なべ》に入れて、ずーっと混ぜるだけなんですけど。それでも上手にできないんですよね」

作り方はただ鍋に材料を入れて混ぜる。これ以上、シンプルな調理法はないが、水の量とか火加減に微妙なコツがあり、こういう料理がいちばん難しい。沖縄の市場でもこれを見た記憶はない。お母さんたちが、子供のために手近にある材料で作ってあげたお菓子なのだろう。見てくれは昨今の豪華な市販のケーキに比べたら、遥《はる》かに見劣りするけれど、その土地の雰囲気とお母さんの気持ちがこもっている、素晴らしいお菓子だと思った。きっと昔は、その土地土地でとれる食材を使った、家庭で作る簡単で素朴なお菓子がたくさんあったのだろう。私はこの味が忘れられず、今度、失敗を覚悟で、これにチャレンジしようと思っている。

冷凍素材にハマる

集中的に仕事をしなければならないことがあって、買い出しにもいけない時期があった。私は食材の繰り回しがとても下手だ。得意な人は、冷蔵庫に残っている物で何品も作ってしまうが、私の場合は料理に関して、想像力が著しく欠如しているので、庫内に物が入っていても、いつも途方にくれてしまうのである。

しかしそのときは、そんなこともいっておれず、冷蔵庫と買い置きの食品が入っている引き出しを交互に眺めて、ため息をついていた。主食になりそうなものは、そうめんくらいだった。ただこれをゆでただけでは、栄養的にも不足するし、他にもおかずを作らなければいけない。私の場合、最小の努力で最大の効果を引き出そうと目論《もくろ》むので、とにかく一緒くたにすぐできるメニューでないとだめなのだ。幸い、野菜は、玉ねぎ、にんじん、にら、もやし、小松菜、ねぎなどがあった。

次に捜索するのは冷凍庫である。私は買った物をすぐ忘れて、大掃除のときに、

「こんな物もあったのか」

とびっくりするのであるが、今回は、衝動買いをしていて、とっても役に立つ冷凍食品があった。それは「中華香味野菜みじん切り」で、ねぎ、しょうが、にんにくがすでにみじん切り状態になっているものだ。一人分の料理を作るときに、あれやこれやとみじん切りをしているうちに、飽きて作りたくなくなるタイプなので、これは助かった。袋から出して炒《いた》めればいいだけなので、手間がはぶけ、料理を作ろうかという気にもなる。もうひとつ出てきたのは、「シーフードミックス」だ。野菜だけだと物足りないが、これがあると多少、味に変化が出る。

「みんな、炒めちゃうか」

これこそ得意の一緒くた料理である。うちには油はオリーブオイルとゴマ油しか常備していないので、オリーブオイルを使った。まずその野菜みじん切りを最小限の油で炒め、玉ねぎやにんじんを入れ、炒め合わせたあと、シーフードミックスを入れる。きちんとした順番があるのかもしれないが、私の場合は適当である。そこに切った野菜をどんどん入れていき、その間にそうめんをゆでておく。野菜とシーフードの火の通りを見ながら、あとはそれを合体させるだけ。たまたまうちにあったそうめんは、塩分が控えめの物だったが、品物によっては塩辛くなりすぎないように、注意しないといけないだろう。

味付けは、これまた冷蔵庫から発見した、オイスターソース、あるいはナンプラーかと迷ったが、ソースをちょっと入れると、こくが出そうな気がしたので、少しだけ加えてあとはナンプラーを垂らした。おそるおそる食べてみたのだが、何風とはいえないけれど、なかなかの味に仕上がった。気に入ったのでオイスターソースのみと、ナンプラーのみでまた作ってみたが、ソースだとこってり。ナンプラーにシャンツァイを加えると、タイ風の雰囲気が漂う。

私は冷凍食品の使い方がよくわからなくて、利用したことがなかったのだが、下ごしらえが済んでいるので、私みたいな不精者にはとてもありがたく、料理を作ろうという気にさせてくれるのがとても偉い。それ以来、私は今までほとんど足を止めなかった冷凍食品売り場を物色するのが、くせになってしまったのである。

恩返しの餃子

　私は一人暮らしの年上の友だちAさん、Bさんと、よく食事を一緒にする。一緒にするといっても、Aさんには家に呼んでもらって、おいしい料理をいただき、Bさんには晩御飯をご馳走《ちそう》してもらう。考えてみると、私だけがいい思いをしているのである。いつか彼女たちに恩返しをしなければならないと、ご馳走してもらうたびに意を決するのであるが、いかんせん、腕が伴わないので私が手を出すのがかえって迷惑なのではないかと、心配にもなるのだ。

　かつて三回ほど、手料理を作ったこともあった。そのときの私の形相が、ふだんとあまりに違っていたので、彼女たちは驚いたそうである。目がつりあがって殺気すらみなぎっていたらしい。どうりで、

「無理しなくていいからね、無理しなくていいからね」

　とおびえた顔で何度もいわれたと思い出したのだが、慣れないもんだからメニュー構成もいまひとつで、作った私も呼ばれた彼女たちも、双方、ぐったりという状態だった。そ

のとき、

「全部を作ろうとしないで、品数を増やすのだったら、お刺身なんかを買ってきて、出せばいいのよ」

と教えてくれたので、

「なるほど」

とうなずいた。しかしそれから彼女たちを食事に招いていない。

いつか必ず恩返しをと思っていたのだが、私でも役に立つことがあった。それは餃子作りである。前に書いた生春巻きと同じように、これも内職仕事に近いものがあるので、OKなのである。それを知った彼女たちは、餃子が食べたくなると、

「お願いしまーす」

と電話をかけてくる。Aさんの家はマンションの隣の部屋なので、二十歩も歩けば到着する。すでに材料は準備されている。餃子の皮、中のあん、水、スプーンがきちんと置かれているのだ。早速、私は作業にとりかかる。それを見ていたBさんは、

「ああ、そうやって包むんだ」

と感心したようにいった。どうして餃子がぷっくりとふくらんでいるのか、理由がわからなかったというのだ。彼女は面白がって、試しに二個作ったが、

「ああ、もういい。飽きた」

とリタイアした。そして、

「よく一袋分も作り続けられるねえ。えらい、えらい」

と頭まで撫《な》でてくれたのである。

「こんな面倒くさいことをやってもらって、いつも助かるわ」

彼女たちは熱々の焼き餃子をほおばりながら、お礼をいう。少し恩返しができたと、「つう」のような気にもなってくるのだ。

ところが家で私が餃子を作るかというとそうではない。一度、彼女たちが不在のとき、自分のために作ろうと包み始めたが、すぐ飽きてしまった。どうしてこんなことをしなければならないのかと、愚痴まで出てきてしまい、いちおう焼いて食べたものの、味もいまひとつだった。それ以来、餃子を自分のために包むのはやめてしまった。友だちへの恩返しの思いがあるからこそ、黙々と作業ができる。お互いに不得手なことを補い合う。これこそが一人暮らしの中年女性たちのありかたであると、私は深く納得したのだった。

憧れは冬の粕汁

私は好き嫌いが全くないのだが、自分の意に反して食べると体に支障をきたすものがある。冬場、粕《かす》汁を飲んでいる人を見ると、とってもうらやましい。風邪気味の人が、

「粕汁を飲んでさっさと寝れば、次の日はすっきりだ」

というのを聞いては、

「体が温まるし、ほかほかして幸せな気分になるしなあ」

と舌なめずりする。私はアルコール類が一切だめなので、いくら粕汁がおいしそうだと思っても、口にいれたら最後、心臓はどきどき、息は荒くなり、ただ横になるしかないのである。

母と弟は酒が飲めるのだが、父は全く酒が飲めなかった。私はその血を引いたらしく、

「これなら大丈夫でしょう」

と勧められて口にした物でも、後でとんでもない目に遭うのだ。梅酒、奈良漬け、甘酒でも酔っぱらい、和食の箸《はし》休めに出された梅のワイン煮ひと粒を食べては、心臓がどきど

きし、顔はまっかっかになった。どれを試しても、私と酒類は相性が悪いのだ。

私と粕汁との出会いはOLのときだった。当時勤めていた編集プロダクションで、退社する人のための会があり、和食のコースで粕汁が出た。それまで私の家では父が酒を飲めないものだから、粕汁が出たことがなかった。もちろん存在は知っていたが、深く興味を持っていたわけでもない。お椀《わん》を持ってじっと眺めている私に、隣に座っていた先輩が、

「粕汁は体が温まるからいいわよ」

といった。ひと口すすって、とってもおいしかったので、私は全部平らげた。あっという間に体がぽかぽかと温まってきた。そしてそのうちに体は熱を持ち、心臓は口から飛びだしそうになった。汗はにじんでくるし、目は回ってくるし、私はとにかく体内のアルコール分を薄めようと、お茶をやたらと飲み、体調の変化をみんなに気付かれないようにしたのである。

しかし隣の先輩が、息が荒い私に気が付き、

「粕汁でこんなふうになっちゃったの？」

とびっくりしながら、

「とにかくお水を飲んだら」

と世話をやいてくれた。幸い、倒れるほどではなかったが、とても電車に乗って帰れるような状態ではなく、タクシーを拾って帰った。乗っていたのは四十分ほどだったが、行

き先を告げてから私は、ただ目をつぶって何度もため息をついていた。とってもおいしい粕汁だったのに、こんなふうになってしまう自分がとても悲しかった。

寒い日、厚手の鍋《なべ》からふわーっと湯気が立つ粕汁は、私の憧《あこが》れだ。自分の体があんなふうにならなければ、冬に何度でも作って、体を温めるだろう。ある程度の年齢になって、酒が飲めないということは、人生の楽しみのひとつを知らないということなのだなと、最近、しみじみ感じる。若い頃は飲めなくても別に問題はなかったが、中年になるとお酒を飲みながら、シンプルなおかずをつつく食卓がいいなあと思う。いかにも子供にはできない、大人の食卓という感じがするではないか。粕汁さえ飲めない私には、一生できない。粕汁という文字を目にするだけで、私は酒がらみの飲食物に関しては、お子ちゃまなのだと、ちょっと悲しい気持ちになるのだ。

山菜採りの贅沢

以前、仕事で山形県に山菜採りに行ったことがある。それまで私は、山菜採りはゲートボールと同じように、お年寄りがとっても好きなこと、くらいにしか認識がなく、テレビなどで山菜の話題が出ても無関心だった。食べるほうでも興味はなかった。和食の店に行くと、季節物ということで、春先に山菜の天ぷらが出ることがある。しかしおいしいと思って食べたことは一度もない。目につくメインの物から手をつけてしまうので、山菜に手をつけようとしたときには、天ぷらは皿の隅でぐったりしているのが常であった。

ところが地元の方と山に入り、わらび、ぜんまい、こごみ、ふきのとう、ネマガリタケ、ウド、たらの芽などを見たとたん、私は興奮してしまった。採ることに没頭してしまったのである。鮮やかな緑に囲まれた中で、逆光を浴びてわらびやぜんまいがすっと生えている。それがとても美しい。その美しさにうっとりした直後、手を伸ばして採る。そこに生えている山菜の全部は採らず、何本か残しておくというのも、山菜採りの礼儀だと教えていただいた。

特に私の目を引いたのは、ネマガリタケだった。ネマガリタケというのは、長さが十五センチ、直径が一、二センチの細いタケノコである。それがひっそりと木の下や草の中に生えている。それを手で掘り出して採る。最初は目が慣れないので、どこに何があるのかわからないのだが、慣れてくると後光が射しているかのように、目につくようになる。中腰になってネマガリタケを採り、しめしめと思いながらあたりを見渡すと、一メートルほど先に生えているのが見える。しゃがんでカニ歩きをしつつ、あちらこちらと移動して、ふと周囲を見渡すと誰の姿も見えなくなり、ものすごくあせって、あわててみんなを探したりした。とにかく目の前の山菜にすべてを奪われ、方向感覚も時間もわからなくなっていく、スリルとサスペンスを味わった。

数種類の山菜も採れ、宿に戻って念願の晩御飯になった。わらびはすぐには食べられないので、ネマガリタケを味噌《みそ》汁に、あとの山菜は天ぷらにした。シンプルこの上ない、何の変哲もない衣に、さっととおして揚げるだけ。不器用で料理嫌いの私にもできますわというくらい簡単だ。ところが他にも、上質な牛肉のステーキというおかずがあったのに、みんなの手がいちばん伸びたのは山菜だった。揚げたてに軽く塩を振っただけなのに、「おいしーい」といいながら、次の天ぷらに手が伸びる。いくら揚げてもみんなの食べる勢いのほうが早く、地元の人に、

「肉も食べて、少し落ち着きましょう」

といわれるくらいだった。そのときは贅沢《ぜいたく》にも、山菜がメインで上質な牛肉は箸休《はし》めでしかなかったのである。

山菜の季節になると、いつもこのときのことを懐かしく思い出す。もしも東京でどんなに新鮮な山菜の天ぷらを食べても、あのときのように逆上して食べはしないだろう。山形の空気、風景、そして自分が採ったという状況が、山菜の味を何倍もおいしくさせたのだ。東京では世界中のおいしい物が食べられるとよくいわれるが、それはお金を出せばという意味である。そうではなくて、自分の体を使って食べ物を採り、新鮮な状態で食べたことは、そういうことを知らなかった私にとって、とてもいい経験になったのだった。

家のうちそと

センスなし

親と同居しているときは、自分の自由になる部屋を想像し、また一人暮らしをはじめてからは、部屋づくりの参考になればと、雑誌のインテリア特集や専門誌を、熱心に読んでいた。趣味の違いはあるが、どの部屋も住人の個性が出ていて、

「みんな素敵に住んでいるなあ」

と感心した。少しでもセンスよく住もうと、自分なりにやってみたものの、どうも結果はいまひとつであった。同じようにしているはずなのに、

「なぜ?」

と首をかしげるほど、ぱっとしない。別に純和室をロココ調にしようとしているわけでもなく、なるべく雰囲気の似た部屋を参考に、自分にできる範囲でカーテンを替えたり、色合いを工夫してみたりしたのだが、いつも、

「うーむ、違う」

のである。他人の家にあるからよく見えるのか、それとも私が借りていた部屋が何を置

いてもよく見えないという怨念《おんねん》に祟《たた》られていたのか、何をやってもぴんと来ない。家具もほとんどないから、雑誌で見て、店を何軒もまわって検討する。やっと、

「これはいい」

と納得し、配送されるのを楽しみにして、いざ部屋の中に置いてみると、これがいまひとつよくない。寸法は測っていったので、大きさはぴったりなのであるが、私の気持ちにぴったりこない。思い描いていたイメージと微妙にずれているのだ。

「やっぱりこの家具だけだと、浮いてるのかも。トータルコーディネートっていうのが必要なのよね、きっと」

微妙なズレを埋めるべく、次から次へと雰囲気の合いそうな物を購入してみたが、すればするほど、どんどん室内は収拾がつかなくなっていった。微妙なズレは仲間を増やしてやってもまとまることがなく、それぞれが同化することなく己を誇示するため、何ともいいようのない部屋が出来上がった。

花を飾るとそれなりに部屋がまとまるのだが、どんなにつぼみがたくさんついている花でも、私が花瓶に活《い》けると、そのつぼみは咲くことがないまま、あっという間に枯れた。そんなことを繰り返していたら、花が気の毒になってきて、買うのはやめてしまった。家具も雑貨も手放した。あれこれやると自爆するのはわかったので、カーテンも無難なベージュ、無駄なお飾りは置かない。ただし本はそこいらじゅうにあるという、今度は倉庫の

ような部屋になった。そうなる理由は、まだ一人暮らしをはじめたばかりで、部屋を作るのに慣れていないのと、狭い間取りのせいにしていた。ある程度の広さがあれば、空間にもゆとりができるし、広い部屋に住めば、何とかなると考えていた。

一人暮らしをはじめてから二十七年、私のインテリアのセンスが磨かれたかといったら、ぜーんぜんである。それどころか若い頃よりもやる気が衰えているので、ところどころに、

「ま、いいか」

がにじみ出ている。部屋が片づかないのは、狭いせいではなかった。部屋が悪いのではなく、自分が悪いのである。それが証拠に、今は3LDKに住んでいるが、かつての雑然としていた1LDKが三倍に拡大した状況になっている。というより、以前よりひどいかもしれない。当時は片づけないと自分の居場所もなかったから、それなりにコンパクトだったが、今はなまじスペースがあるものだから、あっちこっちに物があふれている。気にならないわけではない。が、ここで、

「ま、いいか」

が出てきて、ずるずるとだらしなーく住むはめになった。

あるとき、部屋が片づけられない人は、室内を写真に撮ったほうがよいと知った。慣れきった環境に身を置いていると、客観的な視線がなくなるという。そこで私はベランダに出て、外から室内を眺めてみた。

「げえーっ」

それは想像を絶するひどさであった。室内にいるときはテレビの前に取り込んだ洗濯物の山があっても、ソファの座面に読みかけの雑誌や本が積んであっても、床に宅配の段ボール箱が積んであっても、何とも感じなかったが、外から見ると、

「このだらしなさはいったいなんだ」

と我ながら叫びたくなった。とにかく床にじか置きしてあるものが多すぎる。

「いやー、こんなの。いやー」

ムンクの「叫び」みたいになりながら、私は何度も頭を振った。そこで思い出したのが、デザイン専門学校に通っていた高校からの友だちの言葉である。

「家具もある程度は必要よ。そこに収納すれば片づくから」

私は自分の力で動かせない家具は持ちたくなかったので、必要最小限度に留《とど》めていた。しかしダイニングテーブル兼仕事机の上には、本、資料、文房具が散乱している。書類も多い。液晶テレビも床にじか置きしていたから、キャビネットを買って、その上にテレビを置けばよいと考え、半年間あれこれ家具を見て、悩んだあげく、ダイニングテーブルがデンマーク製だったので、北欧製のキャビネットを購入した。

「これでばっちりだわ」

とほくそ笑んだものの、いざ家具が運ばれてきたら、悪くはないけどいまひとつだった。

ひどーいというわけでもないが、すてきーっというわけでもない。また、

「ま、いいか」

が増えてしまったのであった。

そして先日、組み立て式のダイニングテーブルの金属製の脚がどうしても気になってきたので、木製の脚のみを購入しようと探してみた。メープル材の天板にぴったり合う色ではなくても、私の短い足に合わせた座面の低い椅子のために、脚の長さが短めのものを探した。天然木でちょうどいいものを見つけ、早速購入した。すぐに脚は届き、一人で天板をはずし、購入した脚の上にのせた。私のイメージでは、今までの金属と木といったモダンなタイプではなく、木製の素朴なテーブルができあがるはずだった。ところがただ高さを低く、木製の脚にしただけなのに、デンマーク製の天板なのに、シンプルな形の脚なのに、テーブルがおいてある場所の雰囲気が、一気に居酒屋になってしまったのであった。

「うーん」

あまりのショックに思わず突っ伏した。

「素朴は素朴だけど……、方向が違う……」

あまりのインテリアのセンスのなさにあきれかえった。天然木の脚の値段も高かったものだから心も懐も痛い。そのものにはそのものにふさわしいバランスで作られているということがはじめてわかった。センスのある人は、既製のものであっても、自分なりにアレ

ンジできる能力がある。しかし私はそうではなかった。インテリアに関しては、二十七年間、全く進歩していなかったのだ。

仕方なくまたテーブルは元に戻し、室内は居酒屋ではなくなったが、自爆のあとに絶望が襲ってきた。どうしてこうなのかと悩んでいたら、テレビで脳に関するテストをやっていた。それを試しにしてみたら、私は言語はともかく、立体を認識する能力が劣っていることがわかった。能力が優れている人は現物を見なくてもきちんとイメージができるが、私は店頭で現物を見て、比較検討しても正しく認識できない。

「そうか、これだったのかあ」

これまでの自爆の原因がわかって、ものすごく深く納得した。脳がそのような出来ならば仕方がない。センスよく住むことはあきらめたものの、せめて床のじか置きだけはやめようと心に決めて、せっせと片づけている日々なのである。

カーテン悲話

今の住まいに引っ越したとき、ベランダに面したガラス戸が、幅が二間、高さが百九十センチの大きさで、市販のカーテンではサイズが合わないので、部屋中のカーテンの柄を合わせるために、オーダーすることにした。それははじめての経験だった。隣室の友だちも、

「じゃあ、うちもそうしようかな。合うのがないからカーテンなしで済ませているから」

というので、同じ業者に頼むことにした。

感じのいい男性がやってきて、細かに寸法を測り、膨大な生地見本を見せてくれた。注文したのは薄手と厚手の二種類で、薄手のほうはコットンボイルと決めていた。生地見本で確認したら、これが結構、値段が高い。ボイルでもいろいろな種類があり、刺繍《ししゅう》が飛んでいるもの、レースと組み合わされているものなど、山のようにあったが、いいと思うものはそれなりにするので、いちばんシンプルな白に決めた。が、それでも私の予想を遥《はる》かに超えた値段であった。

前にも書いたが、私は図形や立体に対する認識や、デザイン、色合わせのセンスも欠けている。おまけに数字や計算にものすごく弱い。数字の羅列を眺めているだけで、頭が痛くなってくる。このような体質の私が、家中のカーテンを作るにあたり、どれくらいのメーター数が必要なのかなんて、計算すらできないし、万が一、計算しようと思うと脳味噌《のうみそ》が、

「たすけてー」

と悲鳴をあげるのはわかっていた。ただひとつ理解したのは、なるべく値段を抑えるという点であった。

厚手のほうの生地見本を見ていて、茶系の更紗《さらさ》柄の美しい生地に目を奪われた。値段を確認すると、何万円もする。さすがにいいものは高いわねと思っていたら、それはカーテン一枚の値段ではなく、一メートルの値段であった。

(げえぇ)

口に出すとはしたないと思ったので、腹の中で驚いていると、業者の男性は私の心中を見抜いたようで、

「こちらはイタリアの特別製なので」

といった。

「はあ、なるほどねえ……」

もごもごいいながら、生地見本をめくる私の手はだんだん震えてきた。

（この値段では、絶対に失敗できない……）

今まで一般のカーテン売り場では見たこともない、すばらしい柄の布地を前にして焦りまくった。もともと布地は好きなので、美しい柄にはうっとりする。しかしそれが私の部屋にぴったり合うかどうか、全く自信がない。おまけにそういう布地は一メートルで、何万円もするのだ。迎賓館のカーテンをオーダーするわけではないので、私は美しい柄の布地には目をつぶり、無地のカーテンのなかから、オレンジ色と薄茶色がまじったような色を選んだ。無地のなかで値段が中程度のものである。

「落ち着いた雰囲気でいいと思います」

業者もそういってくれたので決定した。とにかく布地の高さに驚いたので、家中のカーテンをオーダーするのはやめにして、リビングルームだけにした。それならばそれほどものすごいことにはならないだろうとふんだからである。それでも業者は、

「はい、結構ですよ」

と明るくいい、感じよく去っていった。

ひと月後、できあがったカーテンを持って業者がやってきた。取り付けのすべてをやってくれて、見事な房のついた、何という名前かわからないが、使わないときにカーテンをとめるベルトみたいなものもつけてくれた。ここで、ちょっと違う匂いがしてきた。もっ

とシンプルでいいのに、なんだか中途半端にゴージャスなのである。私のセンスのなさはいつものことなので、ま、このベルトを使わなきゃいいんだわさと思いながら、作業をじっと眺めていた。立派なカーテンがついた部屋は、それなりにまとまった。でももうちょっと軽やかな感じにしたかったのに、重厚さのほうが勝っていた。房かざりのついたベルトは目ざわりなのですぐにはずし、何か使い道はないかと、頭に巻いたり腰に巻いたりしてみたが、どうしようもないので、押し入れに突っ込んだ。

半月後、請求書が送られてきた。

「げええーっ」

このときばかりは思いっきり叫んでしまった。単価を抑えたはずなのに、何十万円という金額がそこには記入されていたからであった。あわてて隣室の友だちに聞くと、

「そうなのよ。私もびっくりしちゃった」

という。考えてみたらカーテンにはタックをとる。それが多ければ多いほど長さが必要になる。そこまで考えが及ばなかったのである。業者もこちらを騙《だま》したわけではない。出来上がりにはそれなりに満足している。ただあまりに予想と違う金額に仰天したのだ。

「もしかして、こういう場合って、見積りを取るのかしら」

友だちに聞いた。

「うーん、そうなのかもね」

類は友を呼ぶというか、私の友だちも同じように数字には疎いので、二人して請求書を手に、

「あらー」

と驚いていた。やはり、「一メートル、二メートル、いっぱい……」という数の感覚はまずかったらしい。

それからしばらくは、カーテンを見るたびに、

「これがン十万円」

とじとーっと眺めていた。ここまで立派なものじゃなくてもよかった。その差額で欲しいものが買えたじゃないかと、悔やんだりもした。

カーテンを取り付けた当初は、こんなに高かったんだから、一生、使ってやると思ったのにもかかわらず、五年後には模様替えをしたくなって、日に焼けたカーテンを処分した。

「オーダーは、見積りをとってから」

ひとつ利口になった。しかしまたいつ模様替えをしたくなるかわからないので、オーダーをする気にはならず、自作することにした。カーテン製作用のテープがあるのを、そのときはじめて知った。フックにひっかける部分を多くしたり少なくしたりと、タックの数を調節できる。

「おお、こんなすばらしいものが世の中にあったとは」

それを買い求め、必死に計算をして、生地の安売り店で薄手のシーチングも購入した。長らく押し入れにしまいこんでいたミシンも取り出した。私は曲線のある洋裁は苦手だが、カーテンだったら直線だけだし、多少縫い目が曲がったとしても、何とかなる目論《もくろ》みだった。

それからは毎日、ただひたすら直線縫いが続いた。ただタックもなくぺろんと一枚というのも、布地が薄手なのでちょっと寂しくなるので、少しだけタックをとったものの、二間もあると相当に数がある。やってもやっても終わらない。直線縫いは明らかに簡単であるが、ものすごーく飽きるということもわかった。やり遂げたという喜びが、いつになっても訪れないのである。飽きるほど直線縫いを続けたあげく、やっとこさカーテンは縫い上がった。完成の喜びよりも、ただ疲労感だけが残った。そしてそれから二日間、私の両手はぶるぶると震え続けた。あまりに一生懸命にミシンで縫い続けた結果、その振動が体に伝わり、縫い終わった後も腕のぶるぶるが止まらない。これで少しは腕も細くなったかと期待したが、逆にむくんでいた。それから私は、カーテンについては、フルオーダーも自作もしないことに決めたのであった。

椅子の悩み

私が長年、頭を悩ませている家具は椅子である。シートハイの低い椅子に合わせて、テーブルを低くして、室内を居酒屋化してしまった私であるが、そのシートハイが三十八センチの椅子も、心から気に入っているかというとそうではない。デザインはシンプルで邪魔くさくはないのだが、美的という点ではいまひとつなのである。写真を見て美しいと感じる椅子はみなすっとしていて、私の短足には全く合わない。Yチェアも、イタリア製の椅子も、北欧のシンプルな椅子も、私にはただ見ているだけのものでしかない。もともと椅子は外国のものだから、外国人の体型向きだ。現代の人はスタイルもよくなっているから、それでも合うだろうけれども、昭和二十年代の生まれで、ましてや胴長日本一にノミネートされたら、決勝まで残る自信があるほどの私では、そんな椅子に座ったら、子供が大人の椅子に座ったようになってしまう。デンマーク製のダイニングテーブルとセットの椅子はシートハイが四十五センチで、これに長時間座っていると体に合っていないせいか疲れるので、仕事のときは、三十八センチの椅子を使う。とにかく何が何でも原稿は書かなくてはならないので、デザインには目をつぶり、割り切ることにしたのである。

二十年前、勤めていた会社をやめて物書き専業になったとき、しばらくして腰が痛くなった。座業の仕事で腰を悪くすると大変だという話は聞いていたので、それまで使っていた椅子は使うのをやめて、当時、一部で流行していたスウェーデンチェアを買った。シートに座るといつも背骨が座面と垂直になるように設計されているものだ。今はあまり見かけなくなったけれど、背もたれはなくシートの前を低くして後ろを高く、斜めにセットしてあり、床に接する木製の脚の部分は、ロッキングチェアのように湾曲している。シートに座ると自然と体が前に倒れるような体勢になるのだが、ちょうど膝《ひざ》があたる部分に湾曲した脚が伸びていて、そこに膝受けがついている。形としては木馬に乗ったようになり、体重の一部を膝で支えるようになっているのだ。

最初見たときは、

「こんな妙な形の椅子に座って、ひっくり返らないんだろうか」

と不安になったが、いざそれを使ってみたら、あまりに腰が楽なので驚いた。友だちも面白がって見に来ては、

「椅子なのに、またがるなんて変」

「別の目的に使うもんなんじゃないか」

「体重を両膝でささえるんでしょう。膝のお皿が砕けないのかしら」

と首をかしげていたが、座ってみると、

「あら、意外といいわね」

と納得していた。その後、腰痛とは無縁になったのも、この椅子のおかげだと思う。もう一脚、デパートのセールで、単品売りをしていた、外国製のダイニングテーブル用の椅子も持っていた。ダイニングテーブル用だと、普通の椅子よりもややシートハイが低くなるらしい。腰痛の心配もなくなったので、そのときの気分によって、二脚の椅子を交互に使っていたのである。


そんなときやっと締め切りが終わってほっとしたら、肩胛骨《けんこうこつ》の左側が凝っているのに気がついた。触るところこりこりと塊ができている。カイロプラクティックに行って診《み》てもらうと、女性の先生に、

「骨盤が後ろのほうに傾いていますね。座面がまっすぐな椅子に座っていないでしょう」

といわれてびっくりした。スウェーデンチェアは変形椅子だし、セールの椅子も座面が後ろのほうに向かってやや傾いているデザインだったのだ。先生に、

「椅子は必ず、座面がまっすぐなものにしてください」

と申し渡された。それでシートハイの低い椅子をさがしまわり、今使っている三十八センチの椅子にたどりついたというわけなのである。


背中の凝りもすぐに治り、先生の教えを守って、座面がまっすぐな椅子に座っていたわ

けだが、いつも頭の隅では、

「体に合ってそのうえ、デザインのいい椅子はないのだろうか」

と考えていた。市販で私の短足に合うものがまず無理なので、体型に合わせたオーダーしかないのかなとも考えた。試しにオーダー家具の店に、

「椅子を作ってもらえますか」

と聞いたら、悩む間もなくすぐに断られた。個人個人の体形や感じ方が違うので、椅子だけは引き受けられないという。作り手からするとそうかもしれないと、しぶしぶ引き下がった。それからずっと、いまひとつと思いながらも、同じ椅子に座り続けているのだ。どうしてこんなに椅子で悩むのかと考えてみると、根本的に私の体型が椅子というものに合っていないからだ。太古の純日本的体型に、外国からやってきた椅子がなじむわけがない。

「いっそのこと、椅子なしの正座の生活にするか」

と試したこともある。正座だったらば、必要なのは座布団と低いテーブルかちゃぶ台があればいいので、シートハイがどうのこうのと頭を悩ませる必要がないではないか。

「そうよ、やっぱり日本人だからね」

うなずきながら、低いテーブルを古道具屋で買ってきて、ノート型のワープロを置いて仕事をしはじめた。椅子のことを考えなくていいのはよかったが、別の問題が出てきた。

私は正座が苦手だったのである。折り畳まれた私の短足に、身長から割り出した適正体重よりも一割以上、オーバーしている全体重がのしかかり、正座をして五分後にはしびれてくる。江戸時代、正座させた罪人の膝の上に重い石を置くお仕置きがあったが、何だかそれを思い出させる、一人お仕置きみたいなものだった。

「うーん」

とうなりながら、足をくずしたりさすったりしても、しびれはますますひどくなり、そのうちに下半身が見る間に肥大してきているのではないかといいたくなるくらい、じんじんする。こうなったらもう、原稿書きどころではなく、頭のてっぺんからつま先までしびれでいっぱいである。こんな状態のときに、電話なんぞがかかってくるともう最悪だった。立ち上がろうにも立ち上がれないので、催促のコールが続くなか、電話のある場所まで這《は》っていかなくてはならない。

「待ってー、待ってー」

と思わず右手を伸ばしながら、やっとたどりつくと、切れてしまったりする。しびれというのは座っているときも辛《つら》いが、立ち上がろうとしたり、他の体勢をとった直後がまた辛く、しびれが倍増して襲ってくる。

「ああ、もう、たた、ああ」

わけのわからぬ言葉を吐きながら、自分の足ではないような足を、畳の上に転がりながら必死でさすったりもんだりして、やっとじんじんは収まる。

「こんなことを続けていたら、仕事にならんではないか」

すぐに正座作戦はやめた。

最近、正座椅子をはじめて見たが、これまた中途半端で何ともいえない代物であるが、歳をとって足に不具合が起こったとき、どうしても正座をしなくてはならない場所では、いずれ役に立つのは間違いない。どうあがいても私にはデザインの美しい椅子は合わない。いまひとつと愛情が持てなかったけれども、よくぞこんな私の短足にフィットしてくれたと、シートハイ三十八センチの椅子に、感謝しようと反省したのである。

D・I・Y

最近、手作り、D・I・Yが注目されているようだ。一時期は、とにかくあれ買えこれ買えと、世の中は消費一辺倒で、どちらかというと手作りは野暮ったいと思われ、既製品を買うのがよしとされていた。手作りにまた目が向けられるのは、喜ばしい傾向である。

私は小学生のころから、学校の家政科を卒業した母親の影響で、手芸は好きだった。昔のお母さんはみなそうだったと思うが、家中の布団を縫い綿を入れ替え、セーターはもちろん、冬場の下着まで編んで、自分たちが作れるものはみな作っていた。着古したきものは布団側になり、ぼろぼろになった柔らかい布地ははたきになった。私は洋裁は苦手なので、編み物関係のことでしか判断できないのだが、私が編み物をしてきた理由は、楽しみもあるが同じ程度の質のものを買うとなると、ものすごい値段になり、手作りした方が経済的だったことがある。二十年以上前、質のいい毛糸で編んだセーターが、某有名ショップで十万円で売られているのを見て仰天し、

「セーターは自分で編むしかない」

と思った。消費一辺倒の時期に、手編みのセーターが流行し、手編みのセーターは値段が張るので、

「これで編み物をする人が増えるかも」

と喜んだが、実はそうではなかった。みな手編みのセーターを購入していたのである。どうせ毛糸の質も悪くて、ろくでもないものに違いないと小馬鹿にしていたのだが、有名ショップではなく一般に売られているセーターを見て、また驚いた。質がよくおまけに値段も手頃でデザインもかわいい。海外発注と技術の向上で、それなりのものが安く手に入るようになっていたのだ。

「ううむ」

私はうなるしかなかった。見たところセーターの値段は、ほぼ毛糸代と同じくらいで、手間の分がまるまるただになるしくみだ。

「同じ質のものを買うと高いから」

が頭にあった私は愕然《がくぜん》とした。おまけにセンスに自信がないから、同じ質の糸を購入して手作りしたとしても、これと同じようにできあがるかどうかはわからない。もちろん編むのに時間もかかる。

「なるほど。これはみんな買うはずだ」

やはりプロが作ったものは違う。私にはどんなジャンルであっても、上手な素人とプロ

とは同等ではなく、やはりその間には、説明し難い何らかの差があるという持論があるのだが、まさにそれらのセーターがそうだった。何でもないセーター一枚でも、微妙なバランスによって、素敵にも野暮ったくもなる。その素敵なセーターが毛糸代だけで手に入るとなったら、わざわざ編みたいと思う人なんて、いなくなるだろう。

「時間がもったいない」

といわれたらその通りだし、作る楽しみは時間を消費する。そこに満足感が生まれるのだが、それを否定されると、

「はあ、そうですねえ」

と引き下がるしかない。いくら手作りはいいですよといっても、現実を考えると、手作りの意味って何なんだろうと、あらためて考えさせられたのであった。

ところが世の中はよくしたもので、最近はスローライフの影響で、手作りが注目を浴びて、「外食」は「おうちで御飯」になり、大きな物ではなくても、ちょっとの手間で作れるような小物作りも紹介されるようになった。ただし手作りというのはとても難しい問題をはらんでいる。事と次第によっては、周囲に迷惑をかけるからだ。

何年か前、母親から、

「モヘアの糸でショールを編みたくなって、何枚も編んだの。お姉ちゃんにも送るわ」

と電話があった。いちおう母親は編み物の勉強をしていて、人様のものを編んだりして

いたので、基礎もあるし経験も豊富だ。別に私になくてはならないものではなかったが、せっかくそういっているのだからと、送ってもらうことにした。二、三日して届いた荷物を開いて、私は目が点になった。

「何じゃ、こりゃ」

それはただの毛糸の投網だった。ざくざくとただネット状に編まれていて、しょぼいフリンジがついている。とてもじゃないけど、家の中でも身につけたくない。

「何よ、あれ。ひどいじゃないの」

怒って電話をかけると、

「あー、やっぱり。簡単に編んだのはやっぱりだめかあ」

という。母親によると、やはり冬が近づくと編み物がしたくなる。本を見て編みたい物はたくさんあるが、いざ編み始めようとすると、寄る年波で目が疲れ、手の込んだ柄のものは編めない。でも何か編みたいということで、手軽にざくざく編めるものを編んじゃったというのであった。

「あれは、ひどすぎるよ」

いくら母親の手作りだからといって、投網みたいなショールは使えない。若い人ならばラフに肩に巻き付けて、それなりのファッションになるのだろうが、私がそうすると、まるで投網にひっかかった地蔵という雰囲気になってしまうのだ。そこで思い出したのは、何枚も編んだので、送るといった彼女の言葉である。

「まさか、他の人にも送ったんじゃなかろうね」

「えーとね、○○さんとね、××さんと、えーとそれと、きもののリフォーム教室で知り合った△△さんと……」

続々と名前が出てくる。身内だけならまだしも、こんなものを人様に堂々と差し上げるなんて、さぞや先方は困惑していることであろう。編んでくれた行為に関しては、ありがたいと思ってくれるかもしれないが、現物が毛糸の投網では、ありがた迷惑としかいいようがない。どうでもいいものを何枚も編むよりは、たった一枚、気合いをいれて編んだほうがずっとましではないか。

「恥ずかしいわねえ。こんなものをあげるなんて」

「あらそう、結構、評判がいいんだけど」

「みんな気を遣ってくれてるのよ」

「あー、そうなんだ」

自覚がないのは恐ろしいことである。

母親の行動に対して恥ずかしい、恥ずかしいと恥じ入っていたら、子供のころの父親の恥ずかしい出来事も芋蔓《いもづる》式に思い出した。彼も手作りが好きで、D・I・Yのはしりで、本立てなどの小物を作っていたが、

「子供部屋を作ってやろう」

と突然、小学校一年生の私にいった。作ってやるといわれても、長屋の庭の広さなど知れたもので、いったいどこに作るのだろうかと首をかしげたが、水色のプラスチックの波形の大きな板が何枚か運び込まれた。それを父親は嬉々《きき》として鋸《のこぎり》で切り、ボルトで固定して屋根をつけ、同じ素材でドアまでつけた。

「ほーら、できた」

それは一坪ほどのプラスチック小屋であった。中に入ると地べたに直接すのこが置いてあり、ここに机を置けという。ドアを開けるとその反動で小屋全体がゆっさゆっさと揺れた。子供心に不安になり、机を移動するのをあれこれ理由をつけて延期していたら、台風がきた。雨戸を閉めて家の中でろうそくを灯《とも》していると、バリバリバリッと庭でものすごい音がして、家族一同、ぎょっとしたがみな無言だった。翌朝、雨戸を開けてみたら、例の子供部屋は見事に倒壊していた。屋根ははがれ、お隣の生け垣に斜めにひっかかっていた。父親は呆然《ぼうぜん》としていたが、私はほっとした覚えがある。

両親の手作りには問題があり、手芸好きの私には一抹の不安があるけれども、彼らを反面教師として、今年の冬も自分のための編み物に精を出すつもりなのだ。

夫の居場所

私は一人暮らしなので、センスはないとはいえ、自分の好きなインテリアにできる。和風だろうがカントリーだろうがミッドセンチュリーモダンだろうが、やりたい放題である。が、夫婦の場合はどうやって、家の造りやインテリアに折り合いをつけているのだろうか。双方それほど確固たる好みがなかったり、好みが一致しているというのであれば問題がない。片方が、

「このようにしたい！」

と念願し、片方が興味がないのであれば、これまた問題がない。しかしなかには好みが全く違う夫婦もいるはずなのだ。

インテリアに興味がある人は、住居を生活の根本だと考えている。自分が暮らしていく根っこなので、おろそかにはできない。私のようにやればやるほど、どんどんセンスのよさから遠ざかるのではなく、内装、家具、椅子、小物、雑貨に至るまで、きちっとまとめられている。そうでなければインテリアは完結しないからである。どこか抜けがあるのも

愛嬌《あいきょう》があっていいが、それを絶対に許さないタイプもいる。すべてが構築されていないと気が済まない。それが相手の好みと大きく違っている場合、いったいどのようにしてインテリアは決定されるのかが、知りたいのである。

同じカントリー系でも、フレンチとアメリカンでは、歩み寄れるところも多いだろう。しかしロココとミッドセンチュリーでは、あらどうしましょうである。古民家好きとコンクリート打ちっ放し好きも難しい。洋服や器であれば、たまに自分の好みではない物を目にしても、

「まあ、お好きなように」

となるのだろうが、住居となったらそうはいかない。賃貸だったらまだしも、家を建てるのは夫婦の大きな夢だろうし、それぞれ自分の趣味でない家だと居心地が悪いから、相当な騒動になるのではないか。ましてや一生をかけてローンを払うのだから、誰だって自分が気に入らない家には住みたくない。しかし好みはそう簡単には変えられないし譲れない。そこには壮絶なバトルがあるのではないかと想像するのだ。

私の周囲の既婚者に聞いたところ、妻が専業主婦の場合は、いちばん家にいる時間が長い、奥さんまかせという答えが多かった。夫婦共働きの場合は、お互いに話し合ってである。

「うちはこれは嫌だっていうのを、住宅会社に伝えて、向こうから提示されるモデルを、

これは好き、これは嫌といいながら、二人で相談して建てたわね」

こういったのは美術学校を卒業した、私の高校の友人である。たしかに彼女の家は目立って○○スタイルというのではないが、内装や床の色合いが一般的な家とは違っていて、さりげないセンスのよさを感じた。

夫が主導権を握ったというのは、一組だけだった。この場合も夫が妻の趣味を無視して、自分のいいようにしたわけではなく、夫婦で相談しつつも決定権は夫といった具合である。彼の場合はすべてにおいて若い頃からの確固たる趣味を譲らず、結婚する際も、

「この程度でいいか」

という結婚などせず、年齢的には晩婚になったが、すべてにおいて自分の好みに合った女性と結婚した。家を建てるときに頼んだのも人気のある著名な建築家で、彼の好みは全く、ゆるぎないものだったのである。

好みの違いを解決する、いちばん手っ取り早いのは、部屋ごとにインテリアを変えるという方法である。私が育った昭和三十年代、四十年代に建てられた家は、和洋折衷がほとんどだったから、板の間の応接間あり、畳敷きの仏間ありといった具合だった。畳の部屋にソファが置いてあって、そこにガラスケースに入った日本人形があっても、ステンドグラスの窓がある、応接間の棚に、「王将」と書かれたどでかい将棋の駒や、とっくりを提げたタヌキの置物があっても、当時の日本人は、

ばそこへ置いちゃったのだ。それを見て、

「そんなもんだ」

と思っていた。家にあるものを、部屋の中の飾りたいところに飾る。それがステンドグラスのある応接間であっても、もらいものので っかい将棋の駒の置き場がそこしかなければ、そこへ置いちゃったのだ。それを見て、

「センスが悪いわねえ」

と馬鹿にする人もおらず、みんな、

「そんなもん」

で暮らしていたのだ。

今は畳の部屋がない家も多いと聞くから、和洋折衷もなくなりつつあるのだろう。夫婦の好みが違う場合、部屋ごとにインテリアを変えるのがいちばん簡単そうだが、確固たる好みを持ち、それを譲らない人は、いくらドアを隔てて自分の目に触れないからといって、ひとつ屋根の下にロココとミッドセンチュリーが同居しているのは、やはり許せないと思う。夫婦の寝室を別にできて、そこでそれぞれの趣味にひたれるのならまだしも、都会ではそんなスペースを持つのは大変だ。

いちばん穏やかな大人の解決法は話し合いだが、こういう問題はいくら話し合っても結論が出そうにない。その場合はどちらかが譲らざるをえない。対決になったとすると、泣き落とし作戦、弱味を握っての脅し作戦、欲しいものを買ってあげるなどの、代替作戦な

どが考えられる。シンプルにじゃんけん作戦もあるかもしれない。意思を曲げるのはなかなかできることではないから、折れてくれた相手は人格者といえるだろう。素人のお宅拝見番組を観ていると、嬉々《きき》として夫が家の説明をしている家庭がある。妻が説明している場合は、夫は妻の好きなようにすればよろしいという方針であるのがわかる。夫が前に出ている場合は、夫唱婦随だろう。男性のほうが女性よりも凝り性だから、最終的には好みが激しい男性の妻は、折れるしかないんだろうなと、テレビを観ながら考えたりする。

あるとき、主婦に大人気の女性の家を紹介していた。ごく普通のマンションが彼女のインテリアセンスで、素敵なナチュラルカントリーの住まいになっているのだ。見る物すべてがその世界になっていて、室内にいる彼女の服装、雰囲気も非の打ち所がない。

「これは奥様たちは憧《あこが》れるわなあ」

と思いつつ、ふと気がついたのは、彼女は主婦だということである。彼女はその部屋にとにかくぴったりだけれども、

「夫はこの家で、いったいどのように暮らしているのか」

と首をかしげた。レース、ドライフラワー、女性の好きな物ばかりが、室内に飾られている。年齢は関係なく、女性には似合うが、男性には合わない。とてもじゃないけど中年の男性とは対極にあるインテリアなのである。

「旦那《だんな》さん、恥ずかしくないのかなあ。毎日、レースの下着の中で過ごしているような気

になら ないかなあ」

夫の匂いが全く感じられないインテリアの映像を、しみじみと眺めていたのであった。

私自身は、好みを最優先にするあまり、どちらかが強引に主導権を握ったと思われる家よりも、多少、ずれていてもいいから、住人らしさが出ている家のほうが好きだ。しかし頑《かたく》なな人もいるから、そういう人が連れ合いになったら大変だ。ただ夫唱婦随のほうが見た目には罪はない。女性はどんなインテリアでも、それなりになじむことができる。問題は逆の場合である。レースがふりふりしている白い室内で、夫はどういう顔をして過ごせばよいのだろうか。ご同情申し上げますとしかいえない。他人の家のインテリアをあれこれいう資格は私にはないが、くれぐれも妻には、少なくとも夫の身の置き場が全くないような、不釣り合いな室内にはしないであげて欲しいと、お願いする次第である。

たくさんあるのは、ないのと同じ

私が住んでいるマンションの大家さんが、ケーブルテレビを導入してくれた。今は学生が住むようなワンルームマンションでも、ケーブルテレビなどの施設が完備されているらしいが、築十八年になるマンションの部屋に、デジタルの波が到来したのである。最近は地上波では観たい番組がなく、テレビの前からだんだん遠ざかるようになっていた。前のテレビが壊れたときから、液晶の小さなものに替えた。本当は、無くてもいいかと思ったのであるが、やはりそうもできないので、最小限の鑑賞に耐えられる画面にしたのである。人の噂では、地上波はここ何年かでなくなって、すべてデジタル化されるらしい。うちのテレビはデジタル対応ではないので、

「見られなくなったらテレビを見るのはやめよう。ビデオやDVDが観られればいいや」

と考えていた矢先の導入だった。敷設担当の営業マンにいろいろと聞いたら、契約によってデジタルかアナログか選べるという。となると現在放送されている、デジタル放送も見てみたいわという気分になり、デジタル放送を契約した。賃貸だからいつ引っ越すかわ

からないけれど、その間の話のタネでもいいと思ったのである。昔の日本映画が見たかったので、オプションでひとつのチャンネルを付け加え、うちには六十五のチャンネルの番組が映るようになったのだった。

最初は珍しいから、暇さえあれば片っぱしから見ている。懐かしいクイズ番組や、ドラマ、バラエティ番組が次々に映し出される。またマーサ・スチュワートの番組を見ては、家事をくまなくカバーする仕事ぶりというか、蔓延《はびこ》り方にある意味で感心した。デジタル番組の画面のきれいさにも驚かされた。アナログ放送を見ているときには、テレビを買い換えるとよく映るような気になっていたが、その比ではない。ちっこい画面の液晶テレビには、次々に懐かしい番組、映画、情報番組、ドキュメンタリー、知らなかった外国のドラマ、映画館でもビデオでも観なかった洋画、邦画がリモコンのボタンひとつで映し出される。

「この俳優、姿を見なくなったと思ったら、こういうところに出演してたのね」

と新たな発見も多々ある。久々にちっこいテレビはフル稼働し、私ははじめて異性の裸体を観た、若者のように興奮していたから、もっと観たい、もっと観たいと思うばかりで、しまいには、

「仕事もしなくちゃならないから、二十四時間じゃ足りないわ」

と悩むようになった。当然、眼精疲労もひどくなり、目薬をさしながらテレビを観たり

していたのであった。

観たい番組が数多くあるので、今度は録画をしたくなった。ケーブルテレビに対して積極的になったのは、昔の邦画をＤＶＤに録画して、何度も見直したかったこともある。工事のお兄さんに教えてもらった通り、ＤＶＤをセットしたものの、ビデオテープは何度でも録画可能だが、ＤＶＤの場合は著作権の保護からか、たった一回だけしか許可されていない。プログラムは一度だけではなく、何回か繰り返して放送はされているが、

「これは失敗できないわい」

とへまをやらかさないように、試しに録画してみた。日中は観たい番組がたくさんあるので、私が寝ている間に録画されているかどうか、確かめればいい。プログラムを確認しないまま、とにかく、

「ケーブルテレビの録画は、Ｌ２でできますから」

と教えられたことだけを守って、録画時間を十五分だけセットして寝た。

翌朝、ＤＶＤ機器の表示を確認すると、無事に録画されているようだった。

「よしよし」

さてどんな具合になっているのかと再生してみたら、ちっこい液晶画面に映し出されたのは、昔の「日活ロマンポルノ」だった。

「何だ、こりゃ」

深夜の時間帯にはこのような映画も放映されていると、このときはじめて知った。ともかく録画できるのはわかったので、かつてビデオテープに番組を録りまくったように、映像のきれいなDVDコレクションも増えていくかもと楽しみにしていた。

ところがどうもうちのDVD機器とケーブルテレビは相性が悪いらしく、録画できるのとできない番組がある。悲しいかな、どうしても録りたい番組が録画できないのである。ビデオデッキはあるけれども再生専用だし、そのために機器を買い替えるわけにもいかず、観たい番組が山ほどあった私は、

「録画できないのでは、意味がないじゃないか」

と頭を抱えた。それから何度もDVD録画にチャレンジしたが、ケーブルテレビの番組のほとんどが、うちの機器では録画できないということがわかった。

「まさかロマンポルノだけが録画できるわけじゃないだろうな」

と思ったが、別にそれを試す気もなく、たとえそうだとしても何も興味もないので、

「どうしたもんかなあ」

と悩み続けていたのであった。

録画できないとなると、観たい番組はリアルタイムで観なくてはならない。しかし仕事をしなくちゃならないし、他にも用事はある。そんな毎日を繰り返しているうちに、私はケーブルテレビなんか、どうでもよくなってしまった。最初に裸体を見て大興奮した若者

も、だんだん見慣れてしまって当初のテンションが、がた落ちしてきたのと同じであろう。私の感覚ではまさに、

「憑《つ》きものが落ちた」

という感じであった。

相変わらず、うちのテレビではスイッチをいれ、リモコンを操作すれば、六十五チャンネルから選び放題であるが、選択肢がたくさんあって喜んだのは最初ばかりで、これだけ数があると、ひとつに選びきれない。はっきりいって、チャンネルがひとつもないのと変わりない。

「あの番組を観なくちゃ」

と覚えていても、他の用事にかまけて忘れてしまうことがある。最初はめちゃくちゃ悔しかったが、最近は、

「本当に観たい番組だったら、いくら記憶力が鈍くなった私でも、思い出すだろう」

と、その番組が私に重要ではないと判断した。それ以来、以前と同じように地上波の番組を、たまにデジタル画像で観るだけといった具合になっている。

しかし収穫もあった。フランスの女警部が主人公のドラマをたまたま観た私は、どっぷりそれにはまってしまった。ケーブルテレビを敷設しなければ、このドラマをずっと知らないままだった。これまで私はドラマや映画にはまった経験はなく、日本のトレンディー

ドラマも、「ツイン・ピークス」「ER 緊急救命室」「24―TWENTY FOUR―」なども、話題になったのでタイトルくらいは知っているが、内容は全くわからない。その私がこのドラマにははまってしまった。ところが放送がいつも二時間というのが長丁場で、毎回観るというわけにはいかなくなり、おまけに最終回も間近のようだ。何か方法はないかと探したところ、DVDボックスが発売されていて、早速注文した。仕事が暇になったときに、ゆっくり観たいと今から楽しみにしている。

ここで私は気がついた。DVDボックス全シリーズの定価を考えたら、ケーブルテレビと相性のいい、新しいDVD機器が買えたはずなのである。でも私はこのドラマが観られればそれでいい。私にはたくさんのチャンネルはいらない。興奮が長続きしない質《たち》としては、

「たくさんあるのは、ないのと同じ」

と深く認識したのであった。

うまくいかないことばかり

おっちょこちょいの人が、よく茶碗《ちゃわん》や皿を床に落として割ると聞くが、私は同じようにおっちょこちょいでありながら、茶碗や皿を割る数は少なかった。ところが最近になって、その数が増えてきた。握力も腕力も若い頃より格段に落ちているので、器をしっかり持って洗っているつもりでも、実はそうではなくなっている。アクリル毛糸で編んだタワシを持った、利き手の右手の力のほうが強く、あっと思うと右手の勢いに押されて左手がふんばれなくなり、器はシンクに落下する。そこに何もなければまず割れないけれども、洗われる順番を待っている皿があったりする。「ガチャ」という音とともに、こちらの背筋は寒くなり、よくて片方の破損、最悪の場合は両方が破損するはめになるのである。せっけんで器がつるりとすべり、くるくると回転しながら宙を舞うこともある。何回かに一回、まぐれで空中キャッチできたりして、そんなときは自分は曲芸師ではないかと感動するくらいだ。しかしそのほとんどは、無惨にも落下し、繊細な器は修復不可能な状態になってしまうのである。

注意力も散漫になっているので、調理台に置いてある器を、他の用事をしているときに肘《ひじ》で押して床に落とす。先日も、ほうじ茶を飲もうと、急須《きゅうす》に茶葉と湯をいれ、しばらくしてキッチンに戻ったら、急須を置いた調理台が、水びたしならぬお茶びたしになっていた。びっくりしてよく見てみたら、万古《ばんこ》焼の急須にひびが入っている。

「どうしてこんなことに」

と思い出してみると、昨晩、急須を洗ったときに、蛇口に当ててしまったのだった。いちおう状態を調べて、別に問題はなかったのでそのままにしていたが、実はひびが入っていたらしい。最近は老眼が進行し、夜だったのでひびが入っているのがわからなかったのだ。私は調理台の上に広がったほうじ茶を拭《ふ》きながら、情けなさでいっぱいだった。またあるときはグラスを割ってしまったのがわかっているのに、不用意にその切り口に指を触れて、作らなくてもいい深い傷口を作ってしまった。握力、筋力、注意力のなさが甚だしいのである。

「でも家のなかで済んでることだからいいんじゃない。掃除すればいいことだし。握力がなくて、バスの手すりを握れなくて、急ブレーキがかかったら、後ろまですっとんでいったとか、注意力がなくなって車に轢《ひ》かれちゃったなんていったら、たいへんだもの」

同年輩の友だちはそういう。たしかにまだ家の中で、

「あーあ、やっちゃった」

で済んでいるのはましなのかもしれない。話によると中高年の事故はかなりの確率で家の中で起こるらしい。階段からの落下、調理中の火傷《やけど》、怪我《けが》。そういえばずいぶん前になるが、キッチンの床下収納庫の中で亡くなった年輩の主婦のニュースもあった。なんでそんなところへと不思議に思うが、彼女は足をすべらせて収納庫に落下し、そこから出ることができずに、お気の毒にそのまま命を落としたのだった。

私はそのニュースを見て、心底、驚いた。まだ自分の老化も感じなかったし、

「こんなことが起きるのか」

と信じられなかった。床下収納庫は特殊なものではなく、必要とされる一般家庭に普通に作られているものだろうし、万一、そんなところに落ちたとしても、抜け出られないわけはなく、事故ではなく事件なのではないかとも思った。が、今はそうなってしまったのがとてもよくわかる。腕力も脚力も衰え、そのうえ落下したときに、どこかを打ったりひねったりして痛めたとしたら、ますます事態は悪化するばかりだ。ショックで精神的にダメージを受けてしまい、パニックに陥る可能性も十分にある。

若い頃には信じられないような体の状態が、中高年になると現れる。予想外の出来事が起こると、しかるべき反応も対応もできなくなってしまう。乳幼児にとって、家の中が完全に安全な環境ではないのと同じく、年輩の人々にも同じようにあぶない。皿や器を割っている程度では問題はないが、気をつけないと生命に影響が及ぶ危険性も大なのだ。

「これはちゃんと考えたほうがいいな」

これから先を考えると、家の中での出来事は、特に一人暮らしの身としては、自分自身で気をつけていかなくてはならない。意を決してからは、ひとつひとつの作業をしながら、確認するようにした。よく駅の詰所に「指差し確認」という張り紙がしてあったが、それと同じく、指は差さないまでも、ひとつひとつゆっくり作業を行うようにした。

「包丁は今、まな板の上。すべり落ちそうだから、ちゃんと真ん中に置こう」

「皿を洗うときは蛇口の下には器などを置かない」

「鍋《なべ》を火にかけているから忘れるな」

若い頃には事もなく覚えていて、無意識のうちに注意をしていた事柄が、中高年になるとそれがだんだんできなくなる。最初は、

「私って本当に馬鹿じゃないかしら」

と絶望しかけたが、同年輩の友だちに聞くと、自分と似たり寄ったりなので、胸を撫《な》で下ろしたりした。しかしいくらほっとしても、状況は変わらない。破損の回数は減るとはいえ、冷や冷やする日々には変わりはない。好きで買った器がどんどん無くなっていくのも悲しい。

そこで落としても容易に割れるのを避けるために、漆塗りの器を日常に使うことにした。漆塗りのものは丁寧に扱えば、漆を塗り替えて使い続けられるところもいい。昔、買った

ものを普段用におろしていたが、使い勝手がいい大きさのも欲しくなり、隣町の陶器店で、目が飛び出るほど高くもなく、かといって安くもない、中程度の値段の漆塗りの小丼を買った。有名ではないが若い作家のもののようだった。それを使い始めて一週間後、うちのネコが調理台の上に乗ったので叱ったら、飛び降りるときに勢いよくその器を蹴《け》った。軽い器はびっくりするくらいにすっとび、音をたてて床に落下したのを、あわてて拾い上げると、内側に亀裂が入っていた。漆はそういう部分から水が入って剝《は》がれると聞いたので、もう少しひどくなったら、塗り直してもらったほうがいいかもしれないと、器が入っていた箱を取り出した。作家の工房の連絡先とメッセージが書いてある紙が入っていたので、メンテナンスはどういうふうになっているのかと読んでみた。

「器にひびが入ったときは……」

ふむふむとうなずきながら次の文章に目をやると、そこにはこう書いてあった。

「そのまま使わずに、すぐに新しいものをお買い求めください」

私が買ったのは高価な器ではないが、直るものなら直して使いたいと考える値段のものだった。漆塗りはそういったよさがあるはずなのに、作り手が新しいものを買えとはどういうことであろうか。それともその器は塗り直しがきかないものだったのか。

ともかく気分は萎《な》え、この器はこのままで使えるだけ使うしかないと思い、洗い直して逆さに振って水を切った。その瞬間、私の右手に激痛が走った。器を持って振り下ろしたら、蛇口に激突したのである。

「いててて」

右手を股間《こかん》に挟んでうめいた。股間に挟んだからといって、痛みが消えるわけではないのに、ついそうしてしまう。

「ああ、本当に……」

このごろすべてのことが、うまくいかないわという言葉をのみこみ、私は流しの前で中腰になったまま、呆然《ぼうぜん》としていたのであった。

土いじりは苦手

うちの近所に、それほど広くはないものの、玄関先にいつも花がいっぱいに咲いているお宅がある。鉢植えがずらっと並んでいて、門から玄関のドアに入るまでの、一人がやっと通れるくらいの道以外は、花だらけといった具合なのだ。私は一般的な花の名前しか知らないけれども、前を通るたびに、

「ああ、今はあの赤い花が咲く時季なのか」

と、目の保養をさせてもらっている。

ある日その家の前を通ったら、年輩の男性が腰をかがめて、鉢植えをのぞき込んでいた。手にはさみを持って熱心に剪定《せんてい》をしている。後日、また前を通ったら、ご主人がはさみを手に、奥さんに花を指さしながらあれこれ説明している。

「ああ、そう。ふーん、なるほどね」

彼女はいちおう夫婦間の礼儀として、相槌《あいづち》は打っていたが、積極的に園芸には参加していないのが見てとれた。ご主人が花の手入れをしていると、そのときはじめて知って、ど

うりで女性がするガーデニングとは、ちょっと違うと理由がわかったのだった。

女性がガーデニングをすると、きれいに整えすぎる感がある。浮き彫りの飾りがついたテラコッタの植木鉢（実はプラスチックだったりするのだが）に、ちんまりときれいな花が並べられていたりする。まるで料理の盛りつけのように考えられた配色だ。植木鉢が段々になっていたり、ヨーロッパ風に塀に植木鉢が掛けてあって、そこに花が植えられていたりと、見栄えはいい。

「よくもまあ、これだけきれいにしているなあ」

と感心する。しかし整いすぎていて面白味はない。それに比べて、近所の例のお宅は見栄えなどはあまり関係なく、

「花が咲いちゃった鉢が増えたので、空いているところに並べました」

というそっけなさがあった。浮き彫りのこじゃれた植木鉢ではなく、昔からあるごくごく普通の素焼きの鉢がずらっと並んでいる。なかにはいただきものの鉢植えを再利用したとおぼしき、ブルーや茶色の陶器の鉢もある。よくよく見ると奥のほうには、手入れが行き届きすぎてどんどん花が増えてしまい、鉢の在庫がなくなったのか、火鉢や鍋、冷凍食材の運搬に使われたと思われる、発泡スチロールの箱まで動員されていた。またそこが私には好ましかった。

きれいに作り上げる庭は、本人の楽しみと同時に、他人に見てもらうという意識がある

のだろうが、ここのご主人はただ自分の楽しみのためにしているように見える。奥さんであれば欲しい鉢があったら、家計をやりくりして、ちゃっかりへそくりで購入したりできるが、ご主人の場合は自分の趣味のために、勝手に新しい鉢をいくつも買うこともできず、物置をあさって鉢の代わりに使える物を探したのに違いない。その適当さが私の琴線に触れたのである。

私の母親はガーデニングも含めて、土いじりが大好きだ。借家住まいが長く、その間、勝手に庭をいじれないとなると、地主の大家さんと交渉して空き地の一部分を貸してもらい、そこで家庭菜園を作っていた。うちの食卓には、不格好ではあるが味の濃い新鮮な野菜が毎日、登場していたのであった。私が学生のころは、

「働かざるもの、食うべからず」

と母親にいい渡され、土の入れ替えまで手伝わされた。敷地内の隅っこの土と入れ替えるくらいに思っていたのに、近所の農家の人に話を聞き、良質の土をわけてもらう段取りをつけ、土を運搬するための猫車《ねこぐるま》まで借りていたのには驚いた。私はその良質の土の運搬担当として駆り出されたのである。

「お嬢さんも偉いねえ」

と事情を知らない農家のおじさんに褒めてもらいつつ、よたよたしながら猫車を押した。

「ほら、腰が入っていないから、そんなふうにふらふらするの。しっかりしなさい」

背後から聞こえる母親の叱咤《しった》の声を聞きながら、やっとのことで土を運び終えた。母親は入れ替える土をすでに掘り起こし、畑に山を作っていた。私はこれ以上、労働を強制されるのはまっぴらだったので、すぐに家に逃げ帰った。そーっと窓から様子をうかがっていると、母親は猫車の土で穴を埋めながら、とてもうれしそうだった。そしてしばらくすると、足取り軽く猫車を押して、お世話になった農家のあるほうへ歩いていった。私はその後ろ姿を見ながら、

「一生涯、私はああいうことはできん」

と深くうなずいたのである。

長い借家生活を終え、八年前に事前の相談もなく、私に多額のローンを押しつけて都下に家を建ててからは、心おきなく土いじりを楽しんでいた。当初、同居している私の弟からは、

「庭の農園化禁止令」

が出て、花なんぞを植えたりしていたが、そのうち弟が何の芽や葉が出ているか、全くわからないというところにつけ込み、見事に農園化してしまった。土地を買ったと聞いたときに、親子二人で住むのに、どうしてそんなに広い土地が必要なのかと、ローン担当にされた私は激怒したのだが、母親の頭の中には、心おきなく土いじりをしたいという目論見《もくろみ》があったようなのである。たしかに家を建ててからは、野菜を送ってきた。さすがに土

いじり好きとあって、さまざまな野菜やハーブが箱詰めにされ、いつも食べきれない量があったので、友人にあげるととても喜ばれた。しかし去年、隣に家が建って庭の日当たりが悪くなり、農園は廃園になったようである。それを聞いた私は、その何もならない土地のローンを、五十歳をすぎてこれから何年も払わなくてはならないのかと、むちゃくちゃむかついた。きっと今では苔《こけ》むした庭になっていることであろう。

そんな母親に比べて、私は全く土いじりに興味がない。土いじりやガーデニングが嫌いな人は、

「土をいじるとみみずがいるからいや。花や木にも虫がついてるし。あの足がいっぱいある、にょろにょろしたのとかは最悪だし、ちっちゃーい虫でも茎を歩いているのを見ると、背筋がぞーっとする」

という。私のはそういった、「いやーん」系の理由ではない。みみずも虫も手でつかめといわれたら、平気でつかめるけれど、単純に土いじりに興味がない、ただそれだけなのだ。

美しく花を咲かせるのは苦手だし、興味もないが、ベランダでコンテナにハーブを植えた経験はある。ローズマリーとラベンダーの苗を買ってきて植えてみたら、さすがに繁殖力が強く、あっという間にコンテナいっぱいになって、たまにそれをつんで料理に使ったり、風呂《ふろ》にいれたりしてみたが、すぐに飽きた。ハーブは丹精して栽培する必要などない

のに、それなのに飽きた。

「さすが、ハーブ。なかなか枯れないな」

ほったらかしにしつつ、感心したり呆《あき》れたりした。元気のいいときもあったし、ちょっとくったりしているときもあったが、ハーブはそれなりに生息し、そしてふと気がついたら、あれだけ繁茂していたのが、だんだんやせ衰えていって、ついに枯れてしまった。少し心が痛んだが、枯れたハーブをそのままにしておくわけにもいかず、今はそのコンテナも処分して、ベランダには何もない。室内にも観葉植物すらない、殺風景な部屋なのだ。

自分がだんだん歳をとり、潤いがなくなっていくのだから、室内も殺風景ではあんまりかもしれないとも思いはじめた。このままでは身も心もぱっさぱさになっていきそうだ。今年の春からは、ガーデニングは無理だが、室内に花を飾るくらいはしてみようかと考えている、今日この頃である。

仏壇問題

知人の日本舞踊の師匠をしている女性の話である。彼女が行きつけの店で飲食していると、隣に座っていた、きちんとした身なりの年輩の男性が話しかけてきた。着ている着物を褒められ、

「今度、ホテルで展示会をするので、ぜひいらしてください」

とホテルの名前と日時を書いたメモを渡された。彼女は家に帰ってから、そのメモをお母さんに見せると、

「着物を着ているから、声をかけてきたんでしょう。展示会だったら目の肥えた人も来ているから、ちょっと洒落《しやれ》た着物を着ていったほうがいいんじゃない」

といわれた。期間中、一日だけ都合がついたので、彼女は彼にいわれたホテルに、とっておきの着物を着て出かけたのであった。

着物の展示会だと、着物姿の女性が目につくものだが、ホテルのロビーにはそういう姿はない。少し時間が早すぎたのかしらと思いつつ、会場に足を踏み入れたとたん、彼女は

びっくり仰天した。何とそこは着物ではなく、仏壇の展示会だったのである。

(げげっ)

腰が引けたが、踵《きびす》を返して帰るわけにもいかず、唖然《あぜん》として立ちつくしていると、メモをくれた男性が静かに歩み寄ってきて、丁寧に頭を下げた。彼女もいちおう挨拶《あいさつ》はしたものの、着物の展示会と思って、ちょっと浮き浮きした気分で来たのに、目の前にずらーっと並んでいるのが仏壇では、妙に愛想をよくするわけにもいかない。かといって逃げるわけにもいかないので、

(どうしてこんなことに)

と心の中で何度もつぶやきながら、ゆっくりと展示会場を歩き、一礼をしてそそくさと帰ってきた。

「どうして私に仏壇の展示会の案内なんかしたのかしら。着物を褒めるから、てっきり着物の展示会だと思ったのに。だいたい仏壇の展示会なんて、必要のある人しか買わないし、必要としている人が、そこいらじゅうにいるわけじゃないんだから、飲食店でたまたまそばにいた人に声をかけたって、意味がないじゃないの」

せっかくいろいろな着物が見られると思っていたのに、にこりともしない仏壇屋さんと、これまた無愛想な仏壇がずらっと並んでいたら、その重々しい気配に圧《お》されて顔はこわばる。お母さんは想像もしなかった展開に驚きつつ、

「きっとあんたは、仏壇を買いそうな顔に見えたのよ」

とのんきにいった。

「冗談じゃないわ。仏壇を買いそうな顔ってどんな顔よ」

それから展示会と聞くと、必ず何の展示会か聞くようになったといっていた。

この話を聞いて、私は仏壇の展示会があるのをはじめて知った。確かに需要はあるけれども、そんなにひんぱんに売れるものでもないだろうし、何年かごとに買い替えるようなものでもない。だいたい、仏壇を購入するのは多くの場合、男性の役目ではないかと思うが、着物を褒めたうえで展示会の誘いをするなんて、彼女が勘違いするのも当然なのだ。

私の育った家には仏壇がなかったし、今もない。実家にもない。父親が亡くなっていれば、母親が仏壇を購入しただろうが、今から三十年以上前に生別したので、その後の消息はわからず、うちでは父親はもともといないことになっている。友だちに聞くと、

「仏壇は大変よ」

という。友だちは子供がいない共働きで、夫婦でがんばって一戸建てを建てた。何度も話し合って理想の家が建ち、喜んでいるところへ、義母の家から仏壇が運び込まれた。一人暮らしの義母は体調を崩して、高齢者のケア施設に入ることになり、仏壇のお世話もできないので、有無をいわさず仏壇を送ってきたのだった。

友だちは義母の気持ちがよくわかった。ケア施設は持ち込める所持品が限られているし、

息子夫婦に介護の負担をかけまいとする気遣いもありがたかった。しかしである。

「家の中のどこに置いても似合わないのよ。その仏壇」

夫の実家は古い日本家屋だったので、仏間というものがあった。しかし友だちが建てたのは、畳の部屋がひとつもない家である。

「また、立派なんだ。この仏壇が」

シンプルなものならともかく、昔から代々受け継がれている仏壇らしく、結構な大きさで彫り物や飾り物がそこここに施されていて、正直いってちょっとくどい。洋風の家には似合う形状ではない。

「海外のインテリアの雑誌に、オリエンタル趣味の外国人が、こってりした細工のあるタンスを部屋の中に置いたりしてるじゃない。ああいうふうにはならないの」

宗教グッズなどをインテリアにうまく活《い》かしているのを見たことがあるので、提案してみたが、友だちは首を横に振った。

「外国人が住んでいるのなら、仏壇に見えないだろうけど、とにかくどこから見ても仏壇なのよ。だから変にやればやるほど、隠そうとしているのがばれて格好悪いの」

仏壇自体に価値があるのはわかるが、息子夫婦にとってはとっても迷惑である。ものがものだけに、おいそれと買い替えるわけにもいかない。

「中を調べたら、先祖代々について書かれた紙とか、いろいろ出てきてね。へたなことをしたら罰が当たると思うと、恐ろしくて。いったいどうしたらいいかわからないわ」

とりあえずリビングルームに白い布をかけて置いているのでさえ、先祖の怒りをかっているのではと、朝、御飯とお水を供えるときに、一生懸命にあやまっているのだという。今は洋室にもなじむような、シンプルな仏壇もあるらしいし、作りつけの家具に内蔵されているものもあるようだ。不要な家具は捨てられるが、仏壇はそう簡単には廃棄できない。私は友だち夫婦の苦悩が手に取るようにわかり、心から同情した。

そんなとき母親が、雑誌を見ながら、

「あたし、こういうのがいいわ」

とカラーページを指さした。また私の金で指輪でも買おうとしているのかと、嫌な気分になりながらふと見ると、そこにあるのはシンプルな観音開きの小さな箱だった。それは洋室にも似合うというふれこみの現代風の仏壇だった。たしかにちゃちな合板ではなく、職人さんがきちんと造ったものというのはわかった。が、値段が結構、強烈だった。母親は、

「これだったら安心してあの世にいける」

などという。あの世にいってるんだったら、あなたには関係ないじゃないかというと、

「気に入らない仏壇にいなくちゃならないと思うと、お彼岸のときに戻ってくるのも気が乗らない」

とつぶやく。

「それじゃ、帰ってこなくていいよ」

といったら、

「本当にあんたはひどいことをいうね」

と怒っていた。亡くなる前に仏壇を選んで、これを買ってというのもどうかと思うが、現代に住む我々にとっては、仏壇問題は結構重要である。心情的に邪険にできず、きっぱり割り切れないところが難しい。友だちの家の立派な仏壇であるが、夫婦の話し合いの結果、夫の家系のものだからと友だちが説得し、ほとんど強引に夫の部屋に押し込んだ。とにかく来客の目の届かないところに置いておきたかったらしい。迷惑がられ、子孫の狭い部屋に移されて、ご先祖様は多少ご不満かもしれないが、私は行き場のなかった仏壇に、とりあえず置き場ができて、よかったと胸を撫《な》で下ろしたのである。

地震対策

みんなの頭の片隅にはあるが、明日《あした》起こるとは考えていないものの筆頭は、地震ではないだろうか。一人暮らしをはじめた若い頃、

「自分の身は自分で守らなくては」

と実家にいるときは準備したこともない、非常持ち出し品を揃え始めた。

「水は必需品だし、お腹が空くと困るから乾パンを入れて、着替え、ラジオ、怪我《けが》をしたときの薬、包帯……」

と次々に手持ちのリュックサックに入れていき、さて背負ってみようとしたら、あまりの重さに立ち上がれなかった。

「うーむ、全部必要な物ばかりなのに」

とてもこんな重さでは避難などできるわけもなく、私は腕組みをしてそのリュックを眺めていた。かといってそのうちのどれをはずすか決め兼ね、結局はそのままリュックをほったらかしにしていた。あまりの重さに持ち出せない非常持ち出し品なんて、準備してな

いのも同じで、それから二十年以上経っても、東京に大地震が来なかったのは、本当にラッキーだったとしかいいようがないのである。

昨年、震度四が続けて東京を襲ったとき、さすがの私も、のんきにしていられなくなった。そのとき私は三味線のお稽古《けいこ》のために、師匠の家にうかがっていて、ぐらぐらと揺れるなか、

「あらら、あらら」

とうろたえながら部屋の中を歩き回っていた。

「うちは大丈夫よ。ものすごく深く掘って建てているから。それにしてもずいぶん長いわねえ」

師匠は落ち着いていた。さすがに太平洋戦争をのりきった世代である。師匠のお宅は浅草にあり、家が建て込んでいる地域なので、それぞれの家の地震の備えが、他の地域よりも充実していて、寝るときには必ず枕元にスニーカーと、煙が充満したときの酸素確保のために、大きなビニール袋を置いているのだという。

「なーるほど」

私は感心した。家に戻ってほったらかしのリュックを背負ってみたら、もちろん立ち上がることなどできない。あのときから歳をとり、体力だって落ちているのだから、当時、できなかったことが、できるようになるわけがない。若い頃は体力があるから、多少装備

に不備があってものりきれそうだが、体力も落ち、老眼にもなった今では、体力に反比例して必需品は増えるばかりだ。

「いったい、どうすりゃいいんだ」

と悩んだあげく、最小限まで品数を減らすことにした。水さえあれば何とか生き延びられると聞いたので、乾パン類はなし。着替えも最低限の枚数にとどめ、暑さ寒さをしのげるマット、携帯用簡易トイレ、老眼鏡がわりの虫眼鏡を追加、と出し入れしても、やや軽くなったくらいだった。今はぎりぎり大丈夫だが、あと十年後、二十年後となったら、持ち出せる自信はない。だいたい、家にいたら持ち出せるが、外出していたら全く役に立たなくなる。そんなことを考えたら面倒くさくなってきて、いつもの悩みの解決法である、

「そうなったら、そのときはそのとき」

で考えないことにした。非常持ち出し品が家にあっても、確実に助かる保証はないが安心材料は増える。もしかしたら家にいるよりも、外出先にいたほうが場所によっては助かる可能性が増える場合もある。そんなことを考えると、すべてのケースに対応できないので、どこかで線引きをするしかないのだ。

その何日か後、知り合いの女性と会って、震度四の地震の際に、いったいどこにいたかが話題になった。彼女は仕事で初対面の男性二人と打ち合わせを兼ねた昼食の席にいた。大きく揺れたときに真っ先に彼女の頭に浮かんだのは、

（こんな初対面のおやじたちと一緒に死ぬのはいやだ）

だった。

「どうせ命を落とすんだったら、友だちとか家族とか、知り合いの人と一緒のほうがいいわ。初対面の仕事の相手で、ましてや口の臭いおやじと一緒に瓦礫《がれき》の下に埋まるなんて、本当にいやだと思った」

幸い、口の臭いおやじと一緒に埋まることもなく、少しあわてただけで事は収まった。しかし天変地異は自分の意志とは無関係にやってくるから、そのとき自分がどういう状況になるか、もうこれは運を天にまかせるしかない。

その後、二回、大きな地震があったとき、私は家にいた。多少の不備はあるが、とりあえず非常持ち出し品が入ったリュックもある。しかし私はそれを持ち出せない状態にあった。その二回とも、私は尻《しり》を出していたからであった。一回目はトイレに入っていた。便座に座り、どうも尻が動くなと思ったら地震であった。とっさのことに驚き、

「ありゃりゃ、ありゃりゃりゃ」

といいながら、

（とにかくマンションが、つぶれませんように）

と念じながら、するべきことを済ませてトイレを出たら、揺れは収まった。二回目は朝風呂《ぶろ》に入っていて、実は私はシャンプーをしていたので、地震には気づいていなかった。

風呂から上がり、テレビの地震速報で知ったのである。このように私は二回とも尻を出していて、二回目はまっぱだかである。もっともっと揺れが大きく、マンションが倒壊していたら、私はあっという間に、下半身丸出し、あるいはまっぱだかで瓦礫の下に埋まるところだった。

「あぶなかった……」

あまりに無防備で状況は最悪であったが、地震の揺れがそこそこだったために、私は救われたのである。

地震対策がテーマのテレビ番組を観ていたら、マンションでは建物の形が長方形の場合、短辺の方向に揺れるという。そこで家具を配置するときに、その短辺に対して平行に置くと、倒れるのが防げるといっていた。私が借りているマンションは長方形をしている。家の中を見回してみたら、置いてある家具のほとんどが短辺に対して垂直に配置してあった。東南の角部屋であるために、短辺にあたる部屋にはすべて出窓があって家具は置けず、出入り口のドアもあるから、そのようにするしかないのだ。もともと背の高い家具は少ないので、下敷きになる可能性は低いが、それでも大地震のときはテレビが宙を飛び、ベッドがものすごい勢いで移動すると恐ろしい話も聞いたので、できるだけリスクは避けたい。しかし間取りの事情はどうしようもない。

「どうするんだ、いったい」

番組の実験だと、平行に置くのと垂直に置くのとでは、明らかに家具の倒れ方に差があった。それを目の当たりにすると考えざるをえない。しかしいくら平行がよいといわれても、出窓や押し入れの前に家具を置くわけにもいかず、ドアをふさぐように置けるわけもない。家具の倒れを防止するポールを、壁に近いほうに設置したり、家具の下に段ボールをカットしたものを重ねて挟むと、傾斜ができて倒れにくくなるともいっていたので、家具の配置が替えられないとなったら、そちらを採用したほうがいいのかもしれない。

ともかく大地震はいつか必ず来る。いつも地震のことばかりを考えて、おどおどと怯《おび》えて暮らしたりと、過剰反応はしたくはないが、それなりの準備はしておきたい。自分の身の回りのことが自分でできる程度のものは持ち出したい。うちにはネコもいるから、ネコのための御飯類も持ち出さなくてはならない。大地震が来るのは、残念ながら防ぎようがないけれど、私が願っているのは、とにかく尻を出していないときに揺れてほしい、ただそれだけなのである。

破れ障子

私が現在借りているマンションには、一部屋だけ和室があって、そこには三枚の障子が入っている。外側はガラス戸になっているが、押し入れや天袋もあって障子を閉めると完全な和室になる造りだ。

「やっぱり障子からもれる光は、風情があって柔らかくていいねえ」

などと悦に入って、眺めていたのだが、何年か経つうちに、障子の下のほうから少しずつ紙が破れてきた。そのときはじめて私は障子には障子貼りというメンテナンスが必要だったと気づいたのである。

子供の時は、夏を過ぎるとどこの家でも障子貼りをしたものだった。障子に穴を開けると、母親がぶつぶつと文句をいいながら、花形に切った和紙をそこに貼り付けた。少しでも不格好なところを美しく隠そうとした、日本人の知恵であろう。御飯粒から「そくい」を作り、刷毛《はけ》で桟に塗って障子紙を貼る。口に水を含んで、ぶーっと霧を吹きかけると、水を含んだ紙が乾いた後に、ぴんとなるのだと聞いた。

「明日《あした》、障子貼りをするよ」

といわれると、子供たちは大喜びで破れていない部分を突き破った。ふだんは穴を開けると怒られるのに、このときばかりは大っぴらに破れるからだった。

子供がいれば障子に多少は穴も開くが、男の子ばかりがいる家では、すさまじい状態になっていた。近所に男の子四人がいる家があって、その家のお母さんは、

「うちはみんなで大暴れするから、障子も襖《ふすま》も閉めておかないの。貼り直してもすぐに破れるからもったいなくてしょうがない」

とこぼしていた。生活が苦しい家も多く、そんな家はいつ見ても障子はひどく破れたままで、見るからに貧しい雰囲気が漂っていた。そして貼り直すことができないまま、冬場でも桟だけの引き戸になっていたのを思い出す。

うちの障子紙の破れ目は、まだ五センチくらいで、

「まだこの程度だったら、貼り替える必要もない」

と無視していた。障子全体の面積からいって、微々たる破損だったからである。ところがちょうどそこがネコの目につく位置にあるらしく、めくれた紙を前足で叩《たた》いたり、いじくりまわしたりしているうちに、どんどん破損が広がっていった。破れた面積が大きくなればなるほどネコは興奮してじゃれつく。五センチの破れ目は二十センチほどになった。それでも私は見てみないふりをして、いずれネコも飽きるだろうと、たかをくっていた。

そのとおり、ネコは破れ障子に飽き、近寄ることすらしなくなった。

「ほーら、やっぱり」

とほったらかしにしていたら、それから障子は想像を超えた状態になっていったのである。

風を通そうとガラス戸を開けると、破れた障子紙が風にそよぎ、その振動でびりびりと破れ始めた。見えない手が裂いているかのように、どんどん破れ目は広がっていく。びりびりは勢力を拡大していき、障子の下から五十センチの位置まで破損してしまった。さすがに何とかせねばと思ったが、いったいどうしていいやらわからない。障子貼りをしているのは何度も見たが、やった経験はないのである。持ち家ならばやぶれかぶれで何とかするが、賃貸となると好き勝手にやって本体を破損したら大変なことになる。かといって、このまま我慢できないわけでもないし、すきま風が入るわけではないので、この程度で大家さんに、

「障子を貼り替えてください」

とは切り出しにくい。

「うーん、どうしたものか」

腕組みしつつ考えて、また何年か経ってしまった。その障子の破れを見るのが嫌で、私は和室で過ごさなくなっていた。風だけは通すものの、見てみないふりである。

そして去年、あらためて障子を見たら、男の子も住んでいないのに、ものすごい状態になっていた。最初は障子一枚の下から五十センチほどだったのに、すべての障子の下半分が破れている。破れているといっても、桟の桝目《ますめ》の真ん中が裂けているわけではないので、ちょっと見にはわからないのだが、光を通すと桟の際から漏れているのでよくわかる。破れた部分を横に剝《は》がして、一見、雪見障子風を装おうかとしたが、明らかにこれはみっともない。さすがの面倒くさがりの私もこれはひどいと納得し、自力で障子貼りをすることにしたのである。

障子紙について調べてみたら、障子貼りを簡便にするために、和紙ではない破れない材質のものや、すでに裏に糊《のり》がついているシール式になっているものがあった。しかしあとでやり直すのに面倒なものは、大家さんにも業者にも迷惑がかかる。引っ越すときはすべて紙を剝がして、桟だけにして出ればよいと考え、昔ながらの和紙と糊を使うと決めた。若いうちは勢いで、

「さあ、障子一枚、貼り替えるかっ」

と気合いが入ったかもしれないが、五十歳を過ぎると体力もやる気もないので、最低限の労力で済ませようとした。破れた部分だけ貼り直す方式である。そくいを作り、刷毛で桟に塗るなどとうていできないので、百円ショップでチューブ入りの糊を買い、そのまま桟にちゅーっと塗って、和紙を貼った。もちろんド素人なのでガラス戸側になる裏はめっ

ちゃくちゃだが、室内から見ると、それなりに美しく貼り替えられたようにみえる。我ながら満足した。障子の上のほうの紙は色あせ、貼り替えた下のほうは紙が白く、

「この微妙な白のコントラストも、なかなかいいんでないの」

と喜んでいた。

ほんのひと月ほどはよかったものの、今度は貼ったすぐ上のブロックが破れはじめた。下のほうが新しい分、よけい破れ目が目立つ。仕方なくそこの部分を貼り直した。裏側の桟の部分にべたべたと糊をつけ、そこは和紙が重なりまくって、ものすごい状態である。が、室内から見るといちおうきれいなので、私は障子の裏側の惨状は忘れることにした。結局、その場しのぎの障子紙の切り貼りを繰り返したあげく、破れ目はとうとういちばん上の部分にまで到達してしまった。

「こんなことになるんだったら、最初っから障子一枚を貼り替えればよかった」

そうつぶやいても後の祭りである。風を通すと破れた障子紙が風にそよぎ、そしてどんどん破れていく。近づいてみると弱った障子紙は、私の鼻息が当たったところからも、破れていきそうな気配である。私はこれ以上の修復はあきらめて障子紙をすべて剥がし、うちには障子はないことにしようとした。ところが、自己流で貼ったところが妙にしっかりくっついてしまい、どうやってもきれいに剝がせない。このままにしておいても、剝がしたとしても、どっちにしろみっともない状況に陥ってしまったのだった。

現在、うちの障子の桟の部分は、剝がせるところは紙がなく、剝がせないところは紙があるといった状態だ。

「うーん、これは新しいポップな和風インテリアといえないかしら」

客観的に眺めてみたが、やっぱりそういえるようなものではなかった。住人である私は見慣れたが、屋上に物干し場がある向かいの家の奥さんは、洗濯物を干すたびに、歯が抜けたみたいに、ところどころに紙のない障子を見て、

「あれは何なの」

と呆《あき》れていることだろう。私は毎日、ちらっと和室をのぞき、ため息をついている。東京にはよく強風も吹くから、そのときを狙って戸をすべて開け放ち、一気に障子紙が吹き飛ばされてくれたらと、どす黒く願っているのである。

日本語なのにわからない

時とともに変わる読書の楽しみ

ここ二、三年、明らかに読書量が減ってしまっている。眼鏡をかけないで済む程度の軽い乱視はあったものの、裸眼で不自由しなかったので、私の頭のなかに「老眼」の文字はなかったのだが、体は正直なもので当然の如く、私も老眼になった。老眼鏡を作って、

「おおっ、こんなによく見える」

と感動していたのが、かけたりはずしたりを繰り返していたら、とても目が疲れる。そうなるとついつい本を手にとるのもおっくうになってしまい、急激に読書量が減ったのである。

そうはいっても仕事上、読まなくてはならない本や資料がある。集中して本や資料を読んだあとはもう、ぐったりである。長距離を走ったみたいにへとへとになる。

「あー」

といいながら、しばらく放心している始末だ。昔は仕事に必要な本を読み終わると、自分の楽しみの本を手にして、気分転換ができたのに、体が、

「もうだめ……」

と逃げ腰になっている。体に無理を強いるのも問題だと思い、個人的な楽しみのための本を読むのはあきらめる。それにしても仕事の本や資料は別にすると、二週間に一冊、ひどいときにはひと月のうち、一冊も読まないといった、体たらくなのである。

ある日、うちに届いた雑誌をめくっていたら、これから期待される若い作家という特集で、二十人ほどの名前が書いてあった。それを見て私は驚愕《きょうがく》した。誰一人として知らなかったのである。これまでは本は読んだことはないにしても、名前は知っていた。しかし今回はそうではなかった。次々デビューするアイドルのかわいい女の子と同じように、誰が誰やら全くわからない。しばらく私は落ち込んだ。私は最近の日本の現代小説は全く読まないので、作品の内容は知らなくても、著者の名前くらいは知らないと、まずいのではないか。反省して名前を覚えたものの、記憶に残っているのは五、六人で、申し訳ないが後の方々は頭から消え去ってしまった。そこで書店に行って、書棚を眺めて確認なりすればいいのに、

「ま、仕方ないか。消えちゃったものはしょうがない」

とあきらめる。行動を起こすパワーもない。読書というものは、こんなに体力、集中力、忍耐力が必要なものとは、この歳になるまでわからなかった。五十歳を過ぎてそのどれもがパワーダウンしている。若い頃に寝食を忘れて、一日中、本を読み続けていられた日々

が嘘のようなのだ。

今の若い人は本を読まなくなったといわれるが、携帯メールとかインターネットとか、他に興味があるものがたくさんあるのも事実だが、もしかしたら読みたくても、気力や体力が続かないのではないだろうか。すぐに結果が現れるもの、クリックすれば次々に別の画面が現れるパソコン画面は、受動的な行為だ。それに慣れていると、紙に文字が印刷されている本をじっと読み続けられるかどうか疑問に感じる。気力、体力、忍耐力に欠け、またそれを修正しようともしない若者には全く向かない行為としかいいようがない。

本なんて歳をとってから読めばいいやと、高を括《くく》っている若者もいるかもしれないが、歳をとってから読もうとしても、その習慣がないとよっぽど根性を入れない限り読めない。これは痛感した。今までは、

「本を読まないとは信じられない」

と若者に対して嘆いていたが、すべてにおいてパワーダウンした自分と、彼らの体に妙な共通点を見出《みいだ》して、

「なるほどねえ」

とうなずいたりもした。

読書量が減った現実を憂いたのと同時に、若い頃に、本を読んでおいてよかったと胸を撫《な》で下ろしている。すべてを完璧《かんぺき》に覚えてはいないけれど、頭の中には残っている。ここ

で本を読む習慣を取り戻さねばと、私は体に活を入れて、日々、書棚をじっと見つめている。読みたくて手に取ってしまうのは、昔、読んだ本ばかりである。樋口一葉《ひぐちいちよう》、永井荷風《かふう》、尾崎翠《おさきみどり》、林芙美子《ふみこ》、徳田秋声《しゅうせい》、三島由紀夫、夏目漱石《そうせき》……。あれもこれもと目移りして本は机の上に山積みになるが、いったいどれだけの本を読めることやら。久しぶりにページをめくると、パワーダウンした体に、記憶にうっすら残っていた文章は、

「ああ、そう、そうだった、そうだった」

としみ渡って、とても気持ちがいい。はじめて読んだときの、自分の生活も思い出される。昔のように寝食を忘れてというふうにはいかないけれども、読んだ冊数を自慢する必要もないし、年齢や体調に合わせた本の読み方がある。せっかくの読書の習慣を途切れさせないために、これからはのんびりマイペースで読み続けていくつもりなのである。

「方言」好き

最近、若い女の子の間で、方言が人気だという。標準語と違ういい方が、「超いい感じ」なんだそうである。私は東京生まれの東京育ちなので、いわゆる標準語で育っているのだが、小学生のときに同じように方言に興味を持った。きっかけは、ザ・ドリフターズの加藤茶の訛《なまり》だった。それ以前にも、当時はずうずう弁といっていた東北弁で活躍していた人々はいたが、子供としては、人気のある加藤茶のずうずう弁が面白く、つい真似をしたくなるのだった。

朝、学校に行く途中、迎えにくる近所の友だちも、加藤茶に影響を受けてずうずう弁であった。日常の言葉はすべてずうずう弁になった。といっても正しい東北弁は知らないので、適当な話し方である。通学途中、学校にいるとき、下校時も友だちとの会話はすべて自己流ずうずう弁であった。これだとふだん何気なく話している言葉でも、何だかとっても仲良くなったような気がして、楽しくなってついつい笑ってしまう。私たちはずうずう弁を真似しながら、毎日、はしゃいでいたのであった。

しかし母親は怒った。

「そういう言葉を真似してはいけない」

というのである。私は理由がわからず、

「どうして」

と聞いても、

「どうしても」

というわけのわからぬ返事しか返ってこず、納得がいかなかった。それがうちだけではなく、友だちの親たちも同じことを考えたようで、PTAで問題になり、

「ずうずう弁禁止令」

が出された。子供の私たちは、しゃべってはいけない理由がわからなかったので、みんなで、ぶーぶー文句をいっていたが、それに従わないと親が目をつり上げて怒るので、仕方なく楽しいずうずう弁は、自然消滅していったのである。

今から考えれば本当にひどい話だと思う。これは東京の人間が標準語がいちばんで、方言を蔑視《べっし》していたという証拠ではないだろうか。嘘か本当かはわからないのだが、標準語というのは、戦時下、全国から集まってくる兵隊を統率するために、用いられたものだと聞いた。それを聞いて、「ずうずう弁禁止令」を思い出して腹が立った。標準語など、何

も偉くも上等でもなく、共通語として便利だっただけなのだ。

日本にはたくさんの方言があって、日本語のさまざまな使われ方には本当に驚かされる。特にお年寄りが地元の言葉で話すと、私は英語が話せないが、英語よりもわからない。

「く、か」「く」が、

「食べますか」「食べます」

という会話として成り立つこのすごさ。標準語しか使えない身としては、あこがれを抱きつつ、内容を推理するのもまた楽しい。

私がいちばん好きな方言は、よく関西の人が遣っている、

「……してはる」

という言葉である。標準語でいうと、

「……してる」と「……していらっしゃる」

の中間といった感じだろうか。私は気の置けない人には、「してる」という言葉遣いになるが、あまり親しくない目上の人には、「していらっしゃる」を遣う。しかし親しい目上の人に対して、標準語でぴったりするいい方がない。「してる」ではくだけすぎるし、「していらっしゃる」はちょっとよそよそしい。その間を埋めるのが、関西弁の、「してはる」なのだ。

テレビに出ている関西の若い芸人さんたちが話していると、面と向かった同等の相手に

は、「何してんねん」といっているが、年上だったり、目上の人の話をするときは、「してはる」をよく遣っている。私はこの言葉を耳にするたびに、

「いいなあ、『してはる』」

とうらやましくて仕方ない。敬語のある日本語では、「してはる」はとても便利な言葉だ。上《じょう》の敬語でもなく並の言葉でもなく、ほどよく敬う雰囲気が漂っている。これこそ庶民の言葉だ。標準語だと、知り合いの同年輩と目上、それぞれに対する場合、「してた」と「していらした」といった遣い分けくらいしかできない。丁寧さの程度はやや上がるが、やはり「してはる」に比べると、いまひとつぴんとこないのである。

方言というのは、その土地、その土地の気質や風土にも影響されている。かつては標準語がいちばんとされていたが、今は違う。若い女の子たちが面白がって方言で話していても、とがめる人はいない。PTAで問題になったりもしないだろう。今の社会はいろいろと問題はあるが、この点においては、なんと懐が深くなったことかと、私は喜ばしく思っているのである。

日本語なのにわからない

　小唄《こうた》と三味線を習い始めて今年で七年目を迎えた。私はお芝居好きだったわけでもなく、古典芸能に深い興味があったわけでもない。お茶も習った経験がない。限りなく無知なま、和物のお稽古《けいこ》に通ってしまったのであった。

　私の子供といってもいいくらいの二十代の妹弟子は、小唄の文句の意味がちんぷんかんぷんで、

「英語よりもわかりません」

と首をかしげる。彼女たちに、

「左褄《ひだりづま》って何ですか」

と聞かれて、それくらいは教えてあげられるが、実際、わからない言葉だらけなのだ。有名な小唄で「せかれ」という洒落《しゃれ》た江戸時代の曲がある。「せかれせかれてくよくよ暮らすえ……」という出だしなのだが、この「せかれ」がわからない。

「せっつかれてるのか？」

そうすると「くよくよ暮らすえ」とのつながりがちょっと変だ。いったいどういう意味かと調べ続けてやっと、

「『せかれる』というのは『堰《せき》』という水の流れをとめる意味の動詞化したもので、男女の仲の深くなることを心配して、お互いを逢《あ》わせないようにすること」（上村幸以編『小唄替手集二』邦楽社）

と判明した。「はあー」と感心するしかない。

唄を教えていただいていくうちに、さまざまな曲で、「しょんがえ」という言葉がよく出てくるのにも気がついた。語尾は多少変化するが、この「しょんがえ」の意味も不明であった。「お互いに」という小唄は、

「……あくまでお前に情立てて　惚《ほ》れたが無理かえ　しょんがいな　惚れたが無理かえ」

といった文句である。

「しょうがないのことか」

と勝手に解釈していた。ところが「晩に忍ばば」という小唄では、

「様が来たかと窓から見れば　様は様じゃがお月様　しょんがえ」

となっている。この場合、私の解釈だといまひとつ意味がしっくりこない。

「しょんがえって、何だえー」

などといいつつ調べた結果、「しょんがえ」「しょんがいな」は囃子詞《はやしことば》で、唄の意味とは

関係なく差し挟まれる言葉であった。「よさこい」などもそのなかに入るらしい。まさに知らないことばかりなのだ。

こんな状態なのに、いちばん困るのは物書きだから、言葉に関して何でも知っていると、勘違いされる点だ。三越劇場で小唄の会があり、一同で三味線を弾くので、緊張して舞台袖《そで》で待機していたところ、背後から妹弟子が、

「童謡で『おせどに木の実の落ちる夜は……』っていう歌詞があるでしょう。あの『おせど』って何かしら」

とのんびりといい出した。何でまたこの切羽詰まったときに、そんなことを思い出すんだと呆《あき》れながら、こちらに飛び火してこないように、知らんぷりをしていた。ところがそのうち、

「そうだ、群さんに聞こう」

などといいはじめ、私は、

「知らない、知らない」

と必死になってぶんぶんと首を横に振った。するとそばにいらした、舞台進行何十年というベテランの女性が、

「あれは『背戸』のことですよ」

と親切に教えてくださり、ほっとした覚えがある。

私が無知すぎるのかもしれないが、小唄には日本人なのにわからない日本語が次から次へと登場する。私は三味線を弾きたいがために、小唄を習い始めたのだが、はからずも言葉のお勉強もあわせてすることとなった。五十歳すぎてすでに遅しの感もあるが、ひとつひとつこちらのほうも、恥を忍んで学ばせていただこうと、考えている次第である。

浴衣は実は奥深い

若い頃から紬《つむぎ》以外の着物に興味がなかったので、いわゆる小紋や訪問着には、ほとんど手を通さないできた。二〇〇三年に、一年間着物で過ごすという前々からの思いを実現しようとしたのだけれども、実際、三百六十五日間、着続けることはできなかった。これまでは自分の都合で、着たいときに着て、着たくないときには着ない、柔らか物を着る必要がある場所では洋服にしていたが、そうはいかない。着る場所、天候、季節ものともせず、着物を着なくてはならなくなった。しかしこれがとても勉強になった。この一年間がなければ、小紋や夏の絽《ろ》の紋付など着なかっただろうし、雨の日のいでたちも、夏の着物の快適な着方についても、あれこれ考えなかっただろう。着物の本にはいろいろと書いてあるけれども、やはり自分で試してみないとわからなかった。

そのなかでいちばん着るのが難しいなと思ったのは、実は浴衣《ゆかた》だった。浴衣には苦い思い出がある。中学校の家庭科の授業で白地の浴衣を縫ったのだが、自力で縫い上げた浴衣を着た私を見て、クラスメートが、

「新弟子みたい」

といった。太っているし、はじめて縫った浴衣はひどいものだったし、着方もなってないし、そういわれても腹も立たず、鏡の中の自分を眺めて、

「もっともだ」

とうなずいたものだった。それから三十年以上経っても、やっぱり白地に藍《あい》の浴衣は手《て》強《ごわ》かった。

夏場は小唄《こうた》のお稽古や外出用に、藍地の綿絽の浴衣を愛用し、下には必ず麻や麻絽の半《はん》衿《えり》をつけた襦袢《じゅばん》を着ていた。本来ならばそのような着方は野暮なのかもしれないが、襦袢なしで浴衣を着るのは抵抗があった。どうも顔になじまないのである。さすがにこの歳になったら「新弟子」には見えないけれども、我ながら、

「ちょっと、これじゃあなあ」

といいたくなった。

小唄の浴衣ざらいで白地のお揃いの浴衣を着なくてはならないときは、行き帰りはタクシーにした。家の中はともかく、白地の浴衣で電車に乗る勇気は、私にはなかった。昨年、八月の暑い日に近所を歩いていたら、白地の浴衣に半幅帯を締めた小柄なおばあちゃまが、日傘をさして歩いておられた。涼しげでとても素敵だった。着物を何十年も着続けていなければ、あのようにはならない。白地に藍のシンプルの極みの浴衣は、着物がなじみきっ

た体に似合うもので、そう簡単に誰でも似合うわけではないのだ。

着物の基本は浴衣である。だからといって簡単なのではなく、実はとても奥深い。浴衣からはじめてまた浴衣に戻る。これからの私の目標は、白地に藍の浴衣を涼しげに着ることだ。いつになったら、近所で見かけたおばあちゃまのような姿になれるのだろうかと、ため息まじりに考えているのである。

便利の陰の落とし穴

私は携帯電話を持っていない。今の自分には必要ないからであるが、世の中には携帯電話が必要な人がいるのは十分に理解している。外回りをする営業職、子どもたちが塾や習い事で、帰宅時間が遅くなったりするので、親が子どもの行動をチェックするために必要な場合もあるだろう。公衆電話を探すよりも、バッグや鞄《かばん》の中に電話があれば、便利なのは間違いない。でも最近の携帯電話のコマーシャルを見ていると、そんなものまで必要かと首をかしげたくなるのである。

とにかく私は携帯電話の機能について、ほとんど知らなかった。知り合いの若い編集者から、若い人たちがメールをやりすぎて、親指の筋を痛めて病院に通っているという話を聞いた。

「親指が異常に肥大した若者が出てくるかもしれません」

彼女は笑っていたが、当時はどうして電話にメール機能が必要なのかさえ、私は理解できなかった。

それどころかその後、カメラ付きが売り出された。たしかにいつも持っているわけではないし、写真を撮りたいときにカメラがないのは不便かもしれないが、そんなに毎日、写真を撮りたくなるような出来事ってあるのだろうか。カメラが付くとそれがすぐにビデオ機能というのか、ムービーになって動画が撮影できるようになった。ますます、

「そんな必要あるか」

である。頭の中の記憶の部分に、光景を刻み込んでおけばいいのである。私がぶつぶつ言っている間にもテレビまで付き、携帯電話にはいろいろな機能が付くようになってしまったのだ。

携帯電話があれば、時計、手帳、ゲーム、辞書、音楽、テレビ、記念撮影はもちろんのこと、自動販売機やタクシーの支払いまでできる。便利だから、みんな持っているのだろうが、

「そんなに一つに機能を凝縮した物を所有していて怖くないのか」

と言いたい。私は財布の中には絶対にクレジットカードやキャッシュカードを入れない。片方を無くしても困らないようにするためである。だから落としたらすべてが無くなる、多機能の携帯電話は絶対に持てないのだ。

便利になって人々の精神や生活が豊かになったかというと、相変わらずあくせく働き続けている。簡単に連絡がとれるので、仕事の約束の時間に平気で遅刻してくる人も多くな

った。他人の姿も、断りもなく場所もわきまえずに平気で撮影するし、電車の優先席に座って、携帯電話で話している若者もいる。人としてのマナーも著しく低下している。携帯電話を含めて便利の陰には必ず落とし穴があるが、私たちはその落とし穴に疑いもなくはまり続け、企業の思惑に乗せられ、それと共に人間性も堕《お》ちる一方なのではないかと、気になって仕方がないのである。

悩める贈り物

ＯＬをしていた若い頃から、私は物をもらうよりもあげたがる、プレゼント好きだった。手編みのセーターを着ていて、それを見た友だちから、

「そういうのが欲しい」

といわれると、

「これでよければあげる」

と平気であげていた。

「仕事の合間に、何時間もかけて編んだのに。どうして」

と首をかしげる人もいたが、またいつでも編めるからと気にもとめなかった。それよりも友だちが喜んでくれるほうがずっとうれしかった。ところがある出来事があってから、私のそういう性格も問題だと反省するようになったのである。

知り合いの二十歳年下の男性が結婚することになり、私はお祝いにペアのグラスを贈った。サラリーマンの彼よりも、私のほうが年上で懐具合も余裕があるので、彼がふだん気

軽に買えないような品物をプレゼントしようと思った。おめでたい結婚のお祝いでもあるし、ちょっと手が届かない品物のほうが、先方も喜んでくれるだろう。あれこれ品物を見て回るのも楽しく、幸いいいものが見つかって、私は満足だったのだが、後日、彼の同僚の女性が、

「実は困っていたようです」

と教えてくれた。まさか困らせているとは想像もしていなかったので、理由をたずねると、彼は品物を見て、

「このような高価な物をもらったら、同じ値段の物を返せない」

といったという。私はもう一度びっくりした。たしかに若いサラリーマンにはやや高価かもしれないが、目が飛び出るような値段ではない。自分よりも若い人から同等のお返しをもらうつもりは毛頭ないし、お礼のはがきでもいただければ、それで十分うれしいのに、こちらと先方の考えの違いを認識させられた。

また、男性からプレゼントをもらうと、必ず値段を調べるという若い女性もいた。

「どうして？」

とたずねると、

「だって、それで私に対する気持ちの度合いがわかるでしょう。付き合う前なんだから、それで測るしかないもん」

といい切る。私は、

「はあー」

というしかなかった。

私自身は品物をいただいたら、手書きでお礼状は書くけれども、それと同額の品物をお返ししなければならぬと考えたことはない。ひどいときは、

「何かの折に、あれをお返しにお贈りしよう」

と思っているうちに、ころっと忘れてそれっきりになったりする。もらいっぱなしという場合も多い。どちらにせよ、私のように物を贈って、相手に負担をかけてしまうのはいちばん問題なのだ。

品物を贈るのは本当に難しいし、同時にもらい方も難しい。人それぞれに考え方の違いもある。ただひとつ間違いがないのは、値段の高い安いに関係なく、贈る人がその人を思いやって、その品物を選んでくれたという事実である。

「あの人のために」

と自分を心にとめてくれる人がいるのは、うれしいではないか。贈るほうは自己満足の押しつけにならないように、また贈られた側は、先方の気持ちをありがたくいただく。このように贈り物がさらりとやりとりできるようになったら、一人前の大人である。贈り物のシーズンが近づくと、いつも自分がやってしまった一件を思い出し、私もまだまだお勉

強が必要だと、痛感しているところなのである。

本書は二〇〇七年十二月、小社より刊行された単行本を文庫化したものです。

財布《さいふ》のつぶやき

群《むれ》 ようこ

角川文庫 16694

平成二十三年二月二十五日　初版発行

発行者─井上伸一郎
発行所─株式会社角川書店
東京都千代田区富士見二─十三─三
電話・編集（〇三）三二三八─八五五五
〒一〇二─八〇七八
発売元─株式会社角川グループパブリッシング
東京都千代田区富士見二─十三─三
電話・営業（〇三）三二三八─八五二一
〒一〇二─八一七七
http://www.kadokawa.co.jp
印刷所─旭印刷　製本所─BBC
装幀者─杉浦康平

む 5-21　ISBN978-4-04-171721-9　C0195

角川文庫発刊に際して

角川源義

第二次世界大戦の敗北は、軍事力の敗北であった以上に、私たちの若い文化力の敗退であった。私たちの文化が戦争に対して如何に無力であり、単なるあだ花に過ぎなかったかを、私たちは身を以て体験し痛感した。西洋近代文化の摂取にとって、明治以後八十年の歳月は決して短かすぎたとは言えない。にもかかわらず、近代文化の伝統を確立し、自由な批判と柔軟な良識に富む文化層として自らを形成することに私たちは失敗して来た。そしてこれは、各層への文化の普及滲透を任務とする出版人の責任でもあった。

一九四五年以来、私たちは再び振出しに戻り、第一歩から踏み出すことを余儀なくされた。これは大きな不幸ではあるが、反面、これまでの混沌・未熟・歪曲の中にあった我が国の文化に秩序と確たる基礎を齎らすためには絶好の機会でもある。角川書店は、このような祖国の文化的危機にあたり、微力をも顧みず再建の礎石たるべき抱負と決意とをもって出発したが、ここに創立以来の念願を果すべく角川文庫を発刊する。これまで刊行されたあらゆる全集叢書文庫類の長所と短所とを検討し、古今東西の不朽の典籍を、良心的編集のもとに、廉価に、そして書架にふさわしい美本として、多くのひとびとに提供しようとする。しかし私たちは徒らに百科全書的な知識のジレッタントを作ることを目的とせず、あくまで祖国の文化に秩序と再建への道を示し、この文庫を角川書店の栄ある事業として、今後永久に継続発展せしめ、学芸と教養との殿堂として大成せんことを期したい。多くの読書子の愛情ある忠言と支持とによって、この希望と抱負とを完遂せしめられんことを願う。

一九四九年五月三日

角川文庫ベストセラー

無印良女《むじるしりょうひん》　群ようこ

群ようこ、ブレイクの原点となった初文庫。ブランド志向も見栄もなく、本能のままに突っ走る、「無印」の人々への大讃辞エッセイ。

無印ＯＬ物語　群ようこ

あこがれの会社勤め、こんなはずではなかったのに……。困った上司や先輩に悩みつつも決して負けないＯＬたち。元気になれる短編集。

無印結婚物語　群ようこ

マザコンの夫、勘違いな姑……。それぞれの夢と欲をふくらませた結婚生活が、「こんなもんか」と思えるまでの12のドラマティック・ストーリー。

無印失恋物語　群ようこ

無難な恋と思っていたのに、破局が突然やってきた。言いつくせない無念さと解放感が新たな恋へとかりたてる明るいハートブレイク・ストーリー。

無印不倫物語　群ようこ

あこがれの彼に超ブスの奥さん、清楚な美人が実は……。恋にトラブルはつきものと、覚悟はあってもまさかの事態。明るい略奪愛の物語。

無印親子物語　群ようこ

とんでもなくてトホホな親たち。これも運命とあきらめるか、反発するのか？　親子愛の名の下で繰り広げられるなんでもありの家族ストーリー。

贅沢貧乏のマリア　群ようこ

父森鷗外に溺愛されたご令嬢が安アパート住いの贅沢貧乏暮らしへ。夢見る作家森茉莉の想像を絶する超耽美的生き方を綴った斬新な人物エッセイ。

角川文庫ベストセラー

アメリカ居すわり一人旅　群　ようこ

「アメリカに行けば何かがある」と、夢と貯金のすべてを賭けて遂に渡米！　普通の生活をそのままアメリカに持ち込んだ、無印エッセイアメリカ編。

負けない私　群　ようこ

うるさい姑、常識はずれの娘、わがままな姉、オタクな兄……。何の因果で家族になった⁉　トホホな家族に振りまわされる泣き笑い10の物語。

午前零時の玄米パン　群　ようこ

暴れん坊の幼少期、冴えない青春の日々、ビックリ続きのOL時代のあれやこれや。「群ようこ」の出発点となった無敵のデビュー作！

きものが欲しい！　群　ようこ

三十年の着物人生の集大成！　秘蔵の着物写真をカラーで掲載、作家・佐藤愛子氏らとの豪華着物対談も。初心者から達人まで楽しめる着物エッセイ。

それ行け！　トシコさん　群　ようこ

惚け始めた舅に新興宗教にはまる姑、頼りにならない夫、反抗期と受験を迎えた子供。襲いかかる受難に立ち向かう妻トシコ！　ユーモア家族小説。

三味線ざんまい　群　ようこ

憧れの三味線を習い始めた著者。しかし、「和のお稽古ごと」の世界は思いもよらぬ驚きと発見に満ちていた！　奥深い「和もの」お稽古エッセイ。

しいちゃん日記　群　ようこ

我が家の女王様ネコ「しい」と、隣の飼い猫で御歳十八歳の「ビー」。時に振り回されても、ネコがいる毎日はこんなに幸せ。愛と笑いのエッセイ。

角川文庫ベストセラー

アナタとわたしは違う人　酒井順子

「この人って私と別の人種だわ」と内心思いながらも、なぜか器用に共存する女たち。ならば二種類に分類してみましょう！　痛快・面白エッセイ。

入れたり出したり　酒井順子

人生、それは入れるか出すか。この世の現象を二つに極めれば、人類が抱える屈託ない欲望が見えてくる?!　盲点をつく発想が冴える書き下ろし！

ひとくちの甘能　酒井順子

あんみつ、たいやき、草餅などなど。四季折々に訪れて、全店制覇したい東京の絶品甘味、老舗・名店が大集合。お店の詳細情報つき傑作エッセイ。

甘党ぶらぶら地図　酒井順子

全国ご当地甘味、一都一道二府四十三県の老舗の味を食べ尽くす極上の甘味地図。すぐにでも出かけたくなること受けあいの旅心刺激エッセイ。

田辺聖子の小倉百人一首　田辺聖子

百首の歌に百人の作者の人生。千年を歌いつがれてきた魅力の本質を、新鮮な視点から縦横無尽に綴る。楽しく学べる百人一首の入門書。

田辺聖子の今昔物語　田辺聖子

見果てぬ夢の恋・雨宿りのはかない契り・猿の才覚話など。滑稽で、怪《こわ》くて、ロマンチックな29話。王朝庶民のエネルギーが爆発する、本朝世俗人情譚。

ほどらいの恋
お聖さんの短篇　田辺聖子

ほどほどの長所、魅力、相性で引き合う恋が一番味わい深い。歳月を経た男と女の恋の行方を四季の移ろいと共に描く、しっとり艶やかな小説集。

角川文庫ベストセラー

人生の甘美なしたたり　田辺聖子

人間への深い愛と洞察力を持つ著者が行き着いた人生の決めゼリフ集。日々の応援歌であり、本音であり、現代の様々な幸福の形ともいえるだろう。

絵草紙 源氏物語　田辺聖子＝文　岡田嘉夫＝絵

原文の香気をたたえ、古典の口吻を伝えつつ、読みやすい言葉で書き下ろしたダイジェスト版。現代の浮世絵師・岡田嘉夫のみごとな絵が興を添える。

参加型猫　野中柊

五匹の捨て猫が取り持った縁で結婚した勘吉と沙可奈。二人と「参加型」猫チビコちゃんが織りなす、穏やかで前向きな日々。キュートな恋愛小説。

草原の輝き　野中柊

母は弟を道連れにして命を絶った。辛い記憶はずっと、なつきを苦しめ続けて……。圧倒的な悲しみをたたえた女性のゆるやかな快復と再生の物語。

きみの歌が聞きたい　野中柊

幼馴染の絵梨と美和、少年のような男性・ミチル。慈愛と静寂に満たされた三角関係に生まれる哀しみを描く。天然石の光に包まれた恋愛小説。

美女入門　PART3　林真理子

恋人を見つけるコツ、NY・パリのお買い物。「すべてを手に入れた」著者が、美しくなりたいと願うすべての女性に贈るビューティーライフ！

聖家族のランチ　林真理子

美貌の母の料理に舌鼓を打つ四人の家族。しかし、誰もが口にはできない秘密を抱えていた。家族崩壊と再生の困難さを描いた傑作長編！

角川文庫ベストセラー

美女のトーキョー偏差値　林真理子

ダイエット戦士となり、買い物に精を出す日々。新たに掲げたモットーは、「男にお金をつかわせる女」。長く険しい美人への道は、まだまだ続く！

男と女とのことは、何があっても不思議はない　林真理子

何回生まれかわっても、いつも女に生まれてきたい。そう語る著者が、作品に残した宝石のような言葉を厳選。珠玉のフレーズセレクション。

きまぐれロボット　星新一

なんでもできるロボットを連れて、離れ島にバカンスに出かけたお金持ちのエヌ氏。だがロボットは次第におかしな行動を……表題作他、35篇。

ちぐはぐな部品　星新一

SFから、大岡裁き、シャーロック・ホームズも登場。星新一作品集の中でも、随一のバラエティ。30篇収録の傑作ショートショート集。

宇宙の声　星新一

ミノルとハルコは〝電波幽霊〟の正体をつきとめるため、特別調査隊のキダとロボットのプーボと遠い宇宙へ旅立った。様々な星をめぐる大冒険！

地球から来た男　星新一

産業スパイとして研究所にもぐりこんだ俺はたちまち守衛につかまり、独断で処罰されることに。処罰とは地球外の惑星への追放だった！

おかしな先祖　星新一

街なかに突然、裸同然の若い一組の男女が現れた。アダムとイブと名乗る二人は、楽園を追放されたという。全十篇を収録した傑作〝SF落語〟集。

角川文庫ベストセラー

角川文庫ベストセラー

白いへび眠る島　三浦しをん

十三年ぶりの大祭でにぎわう島に流れる噂。【あれ】が出たと…。二人の少年が体験する、夏の冒険譚。三浦しをんの新たなる世界！

アーモンド入りチョコレートのワルツ　森絵都

突然現れたフランス人のおじさんに戸惑う少女と垣間見える大人の世界を描く表題作の他、ピアノ曲をモチーフに十代の煌めきを閉じ込めた短編集。

つきのふね　森絵都

親友を裏切ったことを悩むさくら。将来への不安や孤独な心、思春期の揺れる友情を鮮やかに描く涙なしには読めない感動の青春ストーリー！

DIVE!! 上　森絵都

高さ10メートルから時速60キロでダイブして、技の正確さと美しさを競う飛込み競技。赤字経営のクラブ存続の条件はオリンピック出場だった！

DIVE!! 下　森絵都

自分のオリンピック代表の内定が大人達の都合だと知った要一は、辞退して実力で枠を勝ち取ると宣言し……。第52回小学館児童出版文化賞受賞。

いつかパラソルの下で　森絵都

厳格だった父が亡くなり、四十九日を迎える頃、生前に父と関係があったと言う女性から連絡が入り……。家族のあり方を描いた心温まる長編小説。

リズム　森絵都

中学一年生のさゆきは、いとこの真ちゃんが大好きだった。でも真ちゃんの両親が離婚するかもしれないという話を耳にしてしまい……。

角川文庫ベストセラー

ゴールド・フィッシュ　森　絵都

高校受験を控えたさゆきは、やりたいことがいまだ見つからずに揺れていた。デビュー作『リズム』の2年後を描いた、著者の初期傑作長編。

チェリーブラッサム　山本文緒

中学二年の実乃は、母を亡くし、父と姉との三人暮らし。日常のなかで揺れ動く家族と、淡い恋の予感。少女の成長を明るくドラマチックに描く！

ココナッツ　山本文緒

実乃の夏休み、ロック歌手のコンサートがやってきた。何かすばらしいことがあるかも知れない、ほろ苦くきらめく少女の季節を描いた青春物語。

紙婚式　山本文緒

結婚十年。二人の関係は、夫の何気ない一言で裂けた。一緒にいるのに満たされないやるせなさ。手さぐりあう男女の心の彩を描く鮮烈な短編集。

恋愛中毒　山本文緒

世界のほんの一部にすぎないはずの恋。なのに、私をしばりつけるのはなぜ。もう他人は愛さないと決めたはずだったのに。恋愛小説の最高傑作！

ファースト・プライオリティー　山本文緒

一番大切なのは、何をする時間ですか？　誰にもゆずれない自分だけの優先事項（プライオリティー）。三一通りの三一歳、珠玉の掌編小説集。

眠れるラプンツェル　山本文緒

二十八歳・汐美。平凡で孤独な日常生活を送っている。子供はなく夫は不在。ある日、ゲームセンターで助けた隣家の十二歳の少年と恋に落ち――。

角川文庫ベストセラー